別忘了飛

為心裝上翅膀的366天

文字
王曙芳

影像
魏瑛娟

Bowl of Saki

Hazrat Inayat Khan
哈茲若・音那雅・康

January ── June

自序

在水裡卻乾渴的魚

活在水裡卻依然乾渴的魚，需要接受嚴肅的專業輔導。——Kabir (注1)

—— 我的蘇非啟蒙時光

每週四的黃昏，我把車子停靠在倫敦 Belsize Park 的林蔭大道，拐進路旁小徑裡一棟老房子的地下室。那裡總有一小群朋友聚集，不多，大約四、五個人。這是個令人心安的親密小團體，每個人帶著覺察分享自己的近況，其他人只是安靜地聆聽，沒有人需要安慰或鼓舞。然後我們一起祈禱、冥想，偶爾做 Zikr 練習。最後，克里斯多福站起來，以他渾厚富磁性的聲音的朗誦一首詩歌，為聚會劃下句點。

克里斯多福是專業律師，然而他的靈魂是詩人。在幽靜的夜晚，聆聽他展演中世紀蘇非詩人：魯米（Rumi）、哈菲茲（Hafiz）、卡比爾（Kabir）……等人的詩，成了我每週的救贖。他們的詩句閃爍著琥珀與琉璃光，是倒入我杯中的美酒，令我沉醉著迷。

詩歌、冥想和友情，是我的蘇非啟蒙，2006 年起整整兩年的時間，我仰賴這個神祕的儀式，治療我靈魂的失憶症。

在學習冥想，「心律轉化法」(注2) 的過程，我開始接觸哈茲若·音那雅·康（Hazrat Inayat Khan）的教導。他的思想和論述是我的冥想基礎；經由美國 IAM 的冥想導師普蘭與蘇珊娜系統化的整理，賦予現代詮釋之後呈現出來。兩位老

師師承維拉亞·音那雅·康，他是哈茲若·音那雅·康的兒子。因此說哈茲若·音那雅·康是我的祖師爺一點也不為過。

然而，我和音那雅·康還有另一個神祕的連結，是透過音樂。我所讀的他的第一本書是《聲音與音樂的神祕主義》（*Mysticism of Sound and Music*）。

他在自序裡說：

> 我已經從音樂獲得所有我應該獲得的東西。為了侍奉神，一個人必須犧牲對他而言最心愛的東西，我犧牲我的音樂，因為那是我最重要的東西。

> 我曾經創作歌曲、歌唱並彈奏Vina琴。在練習這種音樂的過程中，我達到了一種境界，觸碰到了天體的音樂。於是，每個靈魂對我來說都成了一個音符，整個生命變成了音樂。在這種靈感的驅使下，我對人們講話，那些被我的話語吸引的人，開始傾聽我的話，而不是聆聽我的歌曲。

> 現在，我是為靈魂調音，不再為樂器調音，創造人們的和諧而不是音符的和諧。如果我的哲學中有任何東西，那就是和諧的法則：一個人必須與自己和他人保持和諧。

這些話，句句擊中我的心坎，一讀再讀，使我流淚不已。那一刻，我知道我找到了生命中珍貴的導師，他的話語如此美麗，是最溫柔的醍醐灌頂。

讀到這段話的我，當時才放棄音樂製作，轉而從事療癒工作。從此，我總提醒自己是在做著「為靈魂調音」的工作，無論是教學或諮商，我找到了人生的目的。

有魔力的話語帶著如此不可思議的轉化力量，可以瞬間轉變一個人的態度，甚至一生，其影響力經得起時間的淬煉，一如美酒，愈陳愈香。

—— 為你斟上生命之酒

開始書寫這一系列文字的初衷，是為了支持夥伴 Taj（魏瑛娟導演）的影像計畫（注3）。她當時熱衷於 AI 繪圖，每天製作一則短片來詮釋每日一則的《Bowl of Saki》，向我們敬愛的祖師爺哈茲若・音那雅・康致敬。

最早版本的《Bowl of Saki》成書1921-1922年間，出版於英國。當時哈茲若・音那雅・康的學生們從他的授課內容，及其私人筆記本，擷取了366則語錄，以每日一則的方式集結成書。顯見這些箴言曾經撼動他的學生，讓他們想要珍惜保存，做為每日觀想的課題。

「Saki」在阿拉伯文的意思是「酒」，而酒在蘇非文化，象徵智慧的提煉，承酒的杯子猶如聖杯（Holy Grail），當神聖的侍酒師為你斟酒，你所啜飲的是神聖的訊息，讓靈魂永不再乾渴。

哈茲若・音那雅・康在他的筆記中有著不太一樣的詮釋：

> 是什麼讓詩人的靈魂起舞？是音樂。是什麼讓畫家創作出美麗的畫作，讓音樂家唱出動人的歌曲？是美所帶來的靈感。因此，蘇非稱這種美為 Saki，神聖的給予者，就是祂將生命之酒倒給所有的人。

所以，由這個詮釋來看，Bowl of Saki 就是神所賜予的生命之酒，既帶來創作的靈感，亦是美本身，滿溢對生命的祝福。

然而，過了一百年，這些話語由於被抽離當時的文本和文化背景，有些句子變得費解而難懂。別說英文讀者難懂，對於中文讀者更猶如隔了兩座山。語言的山，和文化的山。可是，這裡面到處是閃閃發亮的珍珠。

為了能夠讓中文讀者也有機會酌飲這壺百年前釀造的美酒，我除了翻譯原文之外，更以貼近當代的語彙和比喻，來書寫引言，希望文字能做為橋梁，導引大

家跨入蘇非的人生觀與神祕學，酌飲這位偉大導師的話語。

—— 飲酒之後，要記得……

不料，引言愈寫愈長，我從「簡單的說幾句話」，逐漸變成「想要好好說清楚」。引言也從一百字不到，增加為五百多字。我對於靈性和神祕主義的認知，在這一年的書寫中，不斷解構再重建。雖然這是一件孤獨的工作，然而，獲益最多的人是我。為了想要與更多人分享，我必須先把許多道理徹底咀嚼，再反芻為文字。

感覺自己好像在和哈茲若‧音那雅‧康上著一對一的私塾，接受思想改造。我發現，隨著書寫，不僅是我的想法，我的存在也被迫同步更新。

雖然每一則文字量不多，但對我而言是極大的挑戰。我不是生產線的女工，只要坐下來，就可以產出一則則翻譯或引言。許多時候，我在等待靈感浮現，等待新的理解冒芽。快則一個多小時，慢則一天，還常邊寫邊打瞌睡。奇妙的是，許多峰迴路轉就這樣發生了，可能睡覺的時候，我的心智真的下載了神聖的靈感。

最近整理書稿，大量改寫一開始幾個月的書寫，發現自己的理解和一年前相較之下，的確更上了好幾層樓，視野變化很大。

每寫完一則引言，我都要先在內心連結祖師爺，問問他同不同意我的詮釋？有沒有他希望增加、刪減或重組的地方？我希望自己的文字，能夠校準他的精神，傳遞他的中心思想。我甚至想像他如果在今天出現，會怎樣來詮釋這段話。

非常感謝1998年，率先透過網頁分享Bowl of Saki的作者Richard Shelquist。他做足了功課，回到哈茲若‧音那雅‧康的龐大著作資料庫，去搜尋相關的文字段落，剪貼過來，做為每日箴言的注解。在英國時，我便開始訂閱這個網頁的

Bowl of Saki，當時的閱讀似懂非懂。他當年的註解，成為我今日書寫的重要參考。然而，我也時常回到資料庫，去搜尋更多音那雅・康的教導，以便比對某些詞彙的含義。

但願，每個打開這本書的人，都有一個空的杯子，承接這生命之酒。或許，你飲酒之後，從此記得你自己，以及屬於你的那座海洋。

注 1｜Kabir (c. 1440-1518)。卡比爾是印度中世紀重要的詩人、樂手、宗教改革者。曾獲諾貝爾文學獎的泰戈爾是他的超級鐵粉，曾經翻譯、出版許多卡比爾的詩作，讓世界認識這位詩人。他的作品以幽默和犀利聞名。

注 2｜心律轉化法，英文原名 Heart Rhythm Meditation，這個冥想系統的主要推廣者是位於美國亞利桑那州的冥想學校 IAM（Institute for Applied Meditation）。台灣心靈工坊出版三本介紹這個冥想體系的書，其中最主要的就是《心律轉化法》。

注 3｜欲觀看魏瑛娟導演向哈茲若・音那雅・康致敬的系列影片，可以在 Youtube 上搜尋「心和雅」發佈的影片。

哈兹若·音那雅·康

Hazrat Inayat Khan

（1882-1927）

往內的朝聖之路

前言

哈茲若・音那雅・康帶給世界的啟發

◎王曙芳

1910年，一位皮膚黝黑的28歲印度青年，帶著靈性導師的祝福，肩負神聖的使命，離開印度，搭上駛往美國的船。他並不知道，這個旅行，即將改變他的一生，也影響整個世界。

十多年之後，哈茲若・音那雅・康的著作和演講，成為蘇非哲學最重要的文獻，他的靈性教導開創了「心的文化」，他的前瞻性遠遠超前他的時代，乃至在二十一世紀，還能與當代心靈擦出火花。

哈茲若（Hazrat）是在他去世後人們賦予他的頭銜或尊稱，意思是「臨在」。他的本名音那雅（Inayat），意思是仁慈。這個名字在他身上，可以說是名符其實。

音那雅・康在1882年誕生於印度的巴爾多（Bardo），傳承了父母家族在音樂和神祕學上的愛好。他的祖父茂拉巴克許（Maulabakhsh）是備受敬重的作曲家，被喻為「印度的貝多芬」。音那雅・康受祖父的影響深遠，他喜歡祖父的陪伴，遠勝於和其他同齡小孩玩耍。小時候，他會在一旁安靜欣賞祖父彈奏音樂，看他做研究的方法，聽他和別人如何對話。

他從小就展現對音樂和神祕學的天賦和熱情。小時候，他會纏著父母問這樣的問題：「神住在哪裡？」「祂幾歲？」「我們為何要對神禱告？」「人為何畏懼神？」「人為什麼要死？」「人死後去哪裡？」「如果神創造一切？那麼，又是誰創造神？」

由此可見，神祕學在音那雅・康童稚之年，就進駐他的思維之海。幸好他有非

常好的父母和祖父，總是認眞回答他的疑問，並不敷衍他。這些對話，在他的心靈播下種子。

∞

前往美國之前，哈茲若·音那雅·康早已是印度享譽盛名的音樂家。他是Vina琴的演奏家，才氣縱橫，既作曲也唱歌。早慧的他，18歲就享有令人豔羨的地位和成就，曾受邀在印度許多皇室貴族的宮廷演出，獲得豐厚的賞賜和表揚。

然而，物質上的成就並不能眞正滿足他，他總惦記著那些不如他幸運、無法受到尊敬、困苦潦倒的同儕。有一天，他把多年來演出被賞賜的整袋的珠寶掉落在車上。一夕之間，擁有的財富都化爲烏有。音那雅·康並沒有搥胸頓足，感到懊悔，他反而認爲，這是神想要帶給他的訊息。這些積累的財富，都是鏡花水月，並不重要。還有更重要的事，等著他去發掘。

雖然出身音樂世家，年輕時，音那雅·康便深受蘇非文化的吸引。

在他的自傳中，他提及曾好奇尾隨一群托缽僧（Dervish）至墓園聚會。他們的自在快樂、詩歌音樂，甚至他們的特立獨行，都令他著迷。「托缽僧們戴著歪斜的帽子，衣著古怪，袍子綴滿補丁，有些甚至缺一只袖子、一條褲管，然而他們的眼神炯然，以『國王中的國王，帝王中的帝王』稱呼彼此，彷彿他們才是最尊貴的人，這跟他們如同丐幫的外觀有很大的落差。」音那雅·康非常好奇，托缽僧的「國王」所掌管的是什麼？爲何他們可以不在意自己的外觀和別人的眼光，而且在當下如此快樂？

尋覓多年，音那雅·康終於遇見心儀的蘇非導師，納入他的門下。與導師深刻的連結，帶領他深入蘇非思想的堂奧，循序漸進地學習蘇非哲學的各個層面。同時，他接受神祕學的密集訓練：「我培養了我的內在感官，經歷了幾個階段的透視、靈聽、直覺、靈感、感應、夢境和異象。我也進行了與生者和亡靈溝通的實驗。我深入研究了神祕主義的隱祕與靈性層面，並體悟了虔誠、道德或奉獻的益處。」

這些訓練，扎實打下音那雅‧康關於蘇非哲學和神祕學的基礎，緊接著，他積極地學習「比較宗教學」，探索東西方不同宗教的教義，從基督教、佛教到猶太教、拜火教……。這些學習，如今看來都是在為了他日後的使命做準備。

當時機成熟，在導師的指示之下，音那雅‧康便前往歐美，進行文化交流，播下蘇非思想的種子。

他想要傳遞的訊息是普世的真理；是破除種姓、種族、宗教、信仰、民族的藩籬，讓全人類邁向相互包容、理解的合一境界。他期望帶來東西方的文化和諧與世界和平。

這個，就是蘇非主義的核心主張。

∞

剛到美國時，音樂是音那雅‧康的敲門磚。印度音樂對美國人新穎又陌生，他傑出的演出和對音樂哲學的詮釋吸引不少知識分子與愛樂人士，邀約接踵而至。他獲邀到哥倫比亞、柏克萊、加州大學等知名學校，講述音樂哲學並表演音樂，他帶著印度樂團在各大城市巡迴演出。後來，他甚至前往英國和法國進行交流，與德布西（Claude Debussy）成為莫逆之交。

音樂是音那雅‧康的救贖，而傳遞蘇非哲學則是他的使命。一開始，他試圖維繫身為音樂家和講師這兩個身分的平衡。逐漸地，他的天秤向授課解惑傾斜，音樂則退居其次。為了達成他的使命，不負導師所託，他犧牲了自己最心愛的音樂。他所成立的蘇非教團（Sufi Order），在當時是傳遞蘇非思想的重要組織，後來它開枝散葉，成為一些靈性學校，傳遞靜心法門和靈性教導。

音那雅‧康1927年於印度病逝，根據後來的證據顯示，他極有可能是被反對他的教派下毒致死。畢竟他所倡導的平等思想，危害當權者的既得利益。然而，他在歐美的這短短十七年，所留下的著作和文獻，不論在數量或是質地，都是非常驚人。

許多人把蘇非視為伊斯蘭教的一個分支。然而，這條小溪流早就有它自己的個性和主張。它蜿蜒進入山河峽谷，流淌成自己的風景。就像是沒有人會把中世紀詩人魯米和卡比爾與伊斯蘭教綁在一起，那是文學史上嚐著的一口美酒，令靈魂迷醉，不隸屬任何意識形態，而他們是眾所皆知的蘇非詩人。

所以，蘇非可以說是伊斯蘭教當中，最神祕清新的一個支派，它的訴求是「與神直接的連結和情感交流」，不透過任何的「買辦」或「仲介」，不依賴傳教士和權威……。它想要透過自我探索，來理解永恆的真義，並且就在此刻此生實現它。光是這個主張，就已經和大多數伊斯蘭教派分道揚鑣。

我們可以說「蘇非主義」是：透過情感和靈性來探索「通往神的道路」，並且藉由與神所發展的關係來踏上「內在智慧之道」。這兩條道路相輔相成。

從托缽僧到蘇非旋轉，從魯米到音那雅・康，蘇非呈現的是不與世俗同流，真誠又熱情、浪漫又理想的生命狀態；每次的凝望都是一首詩。

哈茲若・音那雅・康的文字，為我們帶來的就是人性與神性、短暫與永恆之間的頡頏，交織而成的魅力與光影：「當我見到祢輝煌的願景時，我沉浸於狂喜之中，親愛的：我心中波濤洶湧，我的心成為海洋。」

在當前的世界，由於種種的「不能相容」而支離破碎的時刻，或許，音那雅・康的話語和觀點，可以再度溫柔縫補我們的願景，就像是托缽僧身上華麗的補丁，離奇、坦率又和諧，因為相信靈魂是可以裝上翅膀去飛翔，因為相信自己是心靈世界的國王，掌管了自己，就掌管了宇宙。

目錄

自序／在水裡卻乾涸的魚 ———————— 002

前言／往內的朝聖之路 ———————————— 008

JANUARY ———————————————— 014

FEBRUARY ——————————————— 051

MARCH ————————————————— 085

APRIL —————————————————— 120

MAY ——————————————————— 156

JUNE —————————————————— 193

JANUARY

1/1

> As water in a fountain flows as one stream, but falls in many drops divided by time and space, so are the revelations of the one stream of truth.
>
> 就如噴泉中的水，一開始是一股水流湧動，但隨著時間和空間的劃分，化成許多水滴落下，真理的溪流所帶來的顯示也是如此。

噴泉是來自於一股強力的水流，由下往上，水柱在頂端散落如傘，那一剎，水滴離心往八方散落，有的在高處，有的在低處，有的往左，有的往右……。

噴泉在此象徵神／唯一存在的意志，而散落各處的水滴，就像是個人的意志。水滴雖然有高低左右之別，其實是來自同一股水流。

合一的存在也是如此同中有異，它分化而顯現為多樣的個體。

我們也可以藉著噴泉的比喻，來觀看世上所有的宗教和信仰。他們都是來自同一股水流，只不過，由於時間和空間的差異，不同部分的真理被彰顯出來。導致許多宗教所宣揚的形式和教義，看起來似乎不同。其實，他們都是源自同一個真理的分身。

在歷史長河上，因應差別的地理元素，真理透過個別的先知，傳遞給人們。因此，真理被賦予不同的形式、名稱，有了新舊之別。人們卻被這些形式和名稱蒙蔽，而引發紛爭，陷入「正統」的迷思。

真相是：所有的人，所有的宗教，曾經存在的一切，都來自同一個源頭。我們只是在不同時間、不同空間，落下來，成為我們被看見的樣子。

1/2

> All names and forms are the garbs and covers under which the one life is hidden.
>
> 所有的名稱和形象都不過是遮掩「唯一生命」的外衣。

這個簡單卻不凡的句子，蘊含哈茲若‧音那雅‧康對於宗教和生命的中心思想。

如果我們敏銳地觀察生命的內在與外在的一切，就會發現，在生命繽紛多樣的表象之下，還有一個生命，這是萬物的本源和歸宿。

這個「唯一生命」，它就像是宇宙的血液，循環並輸送到宇宙所有的血管，它是構成所有的物質的「精神」（spirit）。所有可見的事物，以及所有的智慧，都是由它塑造，維持活力，並且讓它們持續運作……。

這個認知，幫助我們理解因果的法則。就算一個人在做錯事的時候，沒有任何人看見，他依然逃不開「唯一生命」，因為他不但在其中生活、行動，他自己的存在也是由此塑造的。相同的道理，當一個人對陌生人行善，就算他再也不會見到這個人，他的善行有一天還是會帶來美好的果。

透過我們的身體，你可以輕易了解這個因果法則。如果你吃了不好的東西，這個有害物質，將會進入你的循環系統而被你吸收。

因此，你的每個想法、每個言行，都正在塑造你自己的因果，也將影響整個宇宙的精神。不是只有在上位者，具有影響力；每個人的善念與善行，都會啟動影響力。

Bowl of Saki

1/3

> Truth without a veil is always uninteresting to the human mind.
> 沒有面紗掩飾的真理，對於人們的心智是無趣的。

人們喜歡複雜的事物。如果你告訴他，真理就在眼前，只要打開門就能走進去，一定很少人會相信。人喜歡走入迷宮，在裡面繞圈子；任何令他腦子打結，困惑的事，會吸引他的興趣。只有費盡千辛萬苦，所得到的寶藏，他才會感到珍惜。

真理其實不在我們之外，而是在我們之內。

它不是最新發明的理論、知識、教條或某個史無前例的主張。真理是靈魂原本就知道的事。如果不是靈魂知道的事，那就不是真理。

因此，如果不認識自己，不了解自己，不知道自己靈魂的存在，如何能夠觸及真理？

許多人說他們在尋求真理，但是他們真正感興趣的卻是幻覺，是夢境，是通靈遊戲……。很少有人真正深入探索自己，揭開自己的面紗。

怪不得，哈茲若‧音那雅‧康說：「在真理的探索者中，我們發現只有千分之一的人有足夠的勇氣去審視真理的浩瀚。」

1/4

> When you stand with your back to the sun, your shadow is before you; but when you turn and face the sun, then your shadow falls behind you.
>
> 當你背對太陽，你的陰影就在你之前；然而當你轉過身面對太陽，你的陰影就落在你身後。

當你背對著太陽，你就背對著光，這時，你的陰影被放大；你自己成了你的日蝕，你的世界變得黯淡，希望渺然。而且因為外在的光被遮蔽，內在的光也難以開啟。感覺陰影似乎籠罩著你的前方，你的未來。

然而，這個情況是可以改變的。

你只要記得優雅地轉身，面對太陽，凝視太陽，讓它耀眼的光芒包覆你，剎那間，你所有的絕望，以及被陰影豢養的念頭，瞬間消失。它們落在身後，成為過去，變得不再有影響力。同時，你的靈魂也會從內在綻放光芒。

靈魂的本質是永恆的光。要修復自己的心靈以及身體健康，恢復正能量，我們需要做兩件事：首先是轉變關注的對象；其次，調頻到支持你的能量。

就如法國作家黎坎 (Li-Cam) 所說的：「面對太陽前進，別害怕燃燒的幸福，讓你的影子抵擋背後的黑暗。」

1/5

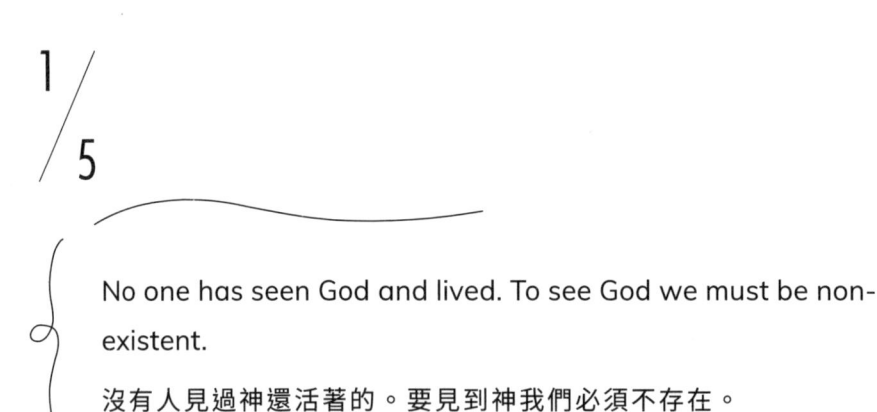

> No one has seen God and lived. To see God we must be non-existent.
>
> 沒有人見過神還活著的。要見到神我們必須不存在。

穆罕默德有句名言:「在死亡之前先死去。」(Die before death.) 這裡的第一個死亡是「色身之死」,第二個死亡是「自我之死」。也就是說,當我們捨棄自我有限的存在時,我們才有機會真的張開眼睛,看見另一個無限的存在。

如果一個人充滿了「自我」,那麼他除了自己,很難看見別人,更遑論比他更無限的存在:神／唯一存在。

如果我們想要認識神／唯一存在,我們必須先放下自我的框架,才有機會擴展我們的意識,去看見神,感知祂的存在。

身為人,我們的生命一直同時存在著這兩種觀點。我們所能看見的生命,透過感官與覺受所經驗的色身是短暫的,難免一死,然而,存在於我們色身的靈魂／精神,是無限的存在,是不斷接收宇宙啟發的,神性的存在。

但是要認識自己另外一個無限的層面,我們不需要等到色身死去。我們可以先練習,放下自我的框架,從一個更高的地方來觀看。如果我們的胸中容納了浩瀚無垠的情操,那麼,有一天,我們會掙脫自我的捆縛。而真正認識神／唯一存在,也就認識了自己。

詩人說:「只有失去自我的人,才能獲得主的平安。」

1/6

> The truth cannot be spoken; that which can be spoken is not the truth.
>
> 真理是不能被言說的；能夠被言說的都不是真理。

有一個眾所周知的東方傳說，可以做爲上面這句話的註解：

有一堵笑聲和微笑之牆。它聳立在那裡年深日久，許多人試圖攀登它，但很少人成功。那些好不容易爬上牆的人，看見牆外的東西，都非常感興趣，露出微笑。於是，他們都越過那堵牆到另外一邊，再也沒有人回來。

鎮上的人開始在想，牆的另外一邊，到底有什麼？會令人這麼著迷，導致一旦爬上牆的人，都一躍而下，不再回來。這道牆是神祕之牆。

他們決定要打聽這道牆的奧祕。因此，他們再度送一個人爬上牆，然後用繩子繫住這個人的腳。當他們所推選的人，終於爬到牆的頂端，正準備一躍而下時，他們用繩子把他拉回來。詢問他，究竟看到了什麼？

這個人沒有回答，他只是微笑。

哈茲若‧音那雅‧康很喜歡引述這個故事，來說明沒有任何語言可以表達眞理。眞理只能被領悟。就連所有關於眞理的書寫，也僅僅是在以頭腦能夠理解的方式，闡明一點點眞理。就像是企圖把海水裝入一個瓶子裡，來說明大海的奧祕。

眞正領悟眞理的人，只能微笑。

Bowl of Saki

1/7

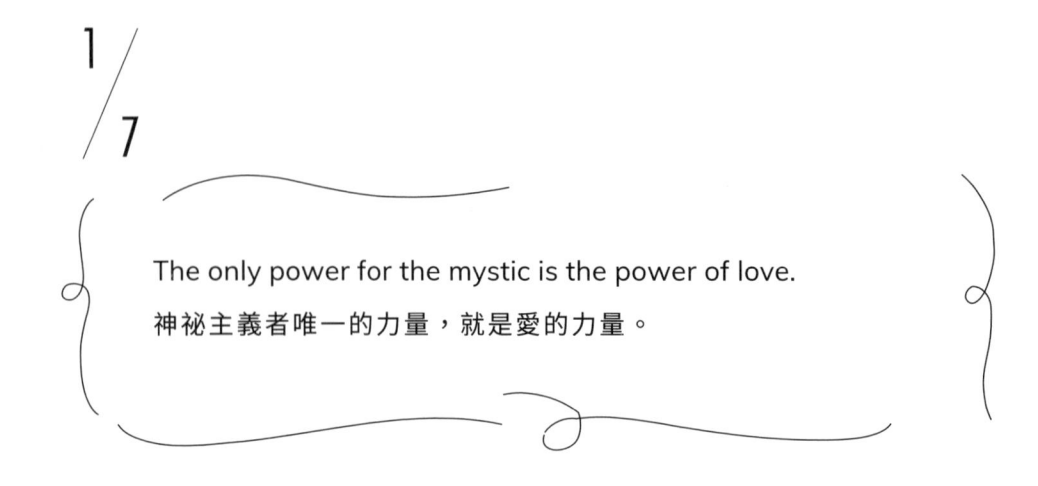

> The only power for the mystic is the power of love.
> 神祕主義者唯一的力量,就是愛的力量。

愛雖然簡單,但並不單純。

所有我們稱之為善良、溫柔、謙遜、慈悲、容忍、慷慨、耐心的美德,都是來自於愛,是愛的不同面向;它們都具有愛的屬性,但被賦予不同的名稱。

然而,每一種形式的愛,每個愛的名稱,都有它獨特的範圍和特性。譬如:表現為慷慨的愛,就與表現為耐心的愛,是兩回事。接收到慷慨的人,與接收到耐心的人,感受很不同。雖然,從頭到尾,他們都是愛。

就像是黃玫瑰、紅玫瑰與紫玫瑰,他們的香氣和色澤都很不同,但他們都屬於玫瑰。

我們可以說,愛是一切美德的來源。而一切美德都是愛的噴泉四射,造成的不同表現。

哈茲若・音那雅・康語重心長地提醒大家:「請記住,為了在靈性道路上獲得更高的成就,學習是次要的;所有神祕學和心靈法則的知識,所有魔法力量,都是次要的。第一個也是最重要的原則是培養心的素質。」

因此,神祕主義者知道,若想獲得力量,首先便是增進自己愛的庫存,這才是你真正的寶藏。

1/8

> If people but knew their own religion, how tolerant they would become, and how free from any grudge against the religion of others.
>
> 如果人們了解自己的宗教信仰，他們會變得寬容，而且不會對他人的宗教產生怨恨。

有一個關於摩西的故事，這麼說：摩西有天經過一座農場，看見一個農家男孩安靜坐著，自言自語。他說：「上帝啊，我這麼愛祢；假如我看見祢在田野裡，我會給祢帶來柔軟的床鋪和好吃的菜。我會照顧祢，好讓野生動物不會靠近祢。祢是我所珍愛的，而且我這麼想要看見祢。如果祢知道我有多麼愛你，我相信祢會在我面前出現。」

摩西聽了大怒，上前去指責這個男孩：「年輕人，你怎麼可以這樣對神說話。祂可是無形的神，沒有任何野獸或鳥可以傷害祂。祂是保護和保衛一切的神。」

男孩被說得無地自容，他的頭悲傷低垂，而且開始哭泣，他感到十分不快樂，他失去了一些東西。就在此刻，一個啟示透過聲音出現在摩西之中：「摩西，看你幹了什麼好事？你把我和一個真摯的愛人分開了。我被怎麼稱呼，或是用什麼語氣跟我說話，一點也不重要。我不是存在於所有不同的外表之下嗎？」

只有無知的人，才會指責他人的信仰，而且把自己的信仰方式強加於人。神不在教堂或寺廟，而是居住在人的心中。因此，我們對於他人的信仰，都要溫柔以待。只要心中有愛的火花，就要呵護它，讓火花慢慢上升。

火花才是最重要的，形式或禮教不重要。

1/9

> The real meaning of crucifixion is to crucify the false self, that the true self may rise. As long as the false self is not crucified, the true self is not realized.
>
> 把自我釘在十字架上，真正的意思是讓虛假的自我死去，好讓真我可以甦醒。只要虛假的自我不消亡，真我就無法被實現。

假我和真我，是怎麼分辨呢？

當一個人自私自利的，一切以自己的需求為考量，這個人就被虛假的自我掌控，他的真正天性被壓抑，他的靈魂沉睡著。那麼，他雖然活著，卻彷彿不曾活過。

靈魂的天性，如果給予適當的機會和環境，總是嚮往愛與美，和諧與和平。只有靈魂的天性可以被表達，一個人才開始活出自己真正的樣子。

如果一個人開始樂於分享他所擁有的一切，關注到這個地球上其他物種的生存，或是他人的幸福，他的真我便開始呼吸，甦醒。

1/10

> An ideal is beyond explanation. To analyze God is to dethrone God.
>
> 理想是無法解釋的。而意圖分析神／唯一存在,就是罷黜神。

理想不是源自於邏輯分析的結果,理想是存在於思維的網絡之上,是神聖之光投射於心智所產生的一道光輝。

人們對於愛、自由、平等的嚮往,或是世界大同的理想,不是透過推理而來,而是內心的渴求。

因此,理想是無法解釋的,它不是後天的知識所教導的結果,是一種靈魂的本能,就像是植物的向光性。

同樣的道理,神／唯一存在也呼應了人們的理想,祂是源自於信仰(faith),不是信念(belief)。

信念是透過辯證而被採納的說法,信仰不是,信仰是深刻的感知。任何想要透過理性分析去解釋神／唯一存在的嘗試,必然都會落入某種陷阱,因為如果神是可以被人的心智解釋的範疇,那麼,祂就不會是神／唯一存在。

我們只能透過信仰,透過虔誠的心,去認識神,靠近祂並與祂交流。

1/11

> Where the flame of love rises, the knowledge of God unfolds of itself.
>
> 當愛的火焰冉冉上升，關於神的知識也會跟著展開。

沒有人會真的認識另一個人，除非那是他所愛的人。只有透過我們對一個人的愛，我們才會打從心底對這個人感興趣，想要研究他／她，徹底了解他／她。

同樣的道理也運作在我們和其他事物的關係當中，因為渴望了解植物的療癒力，神農才會遍嚐百草；因為探索身體的極限以及可能性，濕婆神不斷以身試法，成為印度最早的瑜伽士。

只有面對我們真正喜愛的、感興趣的事物，我們才會竭盡全力去探索它，也只有如此，它的祕密才會對我們展開，讓我們學會如何發展、控制和應用它們。我們都經驗過，在學校被迫學習的一些知識，其實很快就會忘記，因為我們並不愛那些東西，也不上心。

所以說，一切知識都存在於愛之中。

愛讓心變得透明，讓我們內在的眼睛敏銳，真正地看見、知道、了解。

想要認識神／唯一存在，愛是唯一的途徑；讓祂先成為你的愛人與被愛的人。

1/12

> Peace is perfected activity; that is perfect which is complete in all its aspects, balanced in each direction, and under complete control of the will.
>
> 和平是完美的活動。它之所以完美,是由於在各個層面它都是完整的,在每個方向上它都是平衡的,並且一切都在意志的掌控之下。

在所有的精神特質當中,什麼是最重要的,不可或缺的呢?是快樂?是力量?是知識?

哈茲若・音那雅・康說,是和平。只有內在獲得和平的人,才能夠汲取神祕主義的祕密和哲學。

> 談論世界和平是沒有用的。此刻最迫切的是先在我們自己內在創造和平,好讓我們能夠成為愛、和諧與和平的典範。只有如此,我們才能夠拯救我們自己以及世界。

和平雖然不是快樂,不是力量,也非知識,然而,它卻是會帶來這一切的源頭,它是神聖的臨在。

如果能夠擁有獨立自主的內在和平,不需要依賴外在的環境、他人或是所擁有的資源來獲取和平,這樣的和平就內化為你生命的存在,連死亡也無法動搖你的和平。

外在的和平非常不容易，內在的和平更是艱難。

因為一個人需要容忍一切，寬恕一切，了解一切，消化吸收一切之後，才能獲得真正的和平。和平是內心去蕪存菁的煉金術：耐心把雜質，一次又一次，淬煉出來，最後留下純粹的和平。

這個過程中，有意志力的執行，有敏銳的觀察，平衡各個層面的影響，也篩濾事物的輕重緩急；和平不是被動靜止，什麼都不做，而是上面這一切所造就的完美活動。

1/13

> Do not limit God to your virtue. He is beyond your virtues, O pious ones!
>
> 不要以你的美德來制約神的美德。虔誠的人啊！祂超越你所有的美德。

相較於宇宙，銀河，以及無數的平行時空，人的存在猶如滄海一粟。

然而人們習慣以自己短短數年的人生，在世間所學會的思考方式和因果法則，煞有介事地說：「這是可能的，那是不可能的。」他看不見自己的盲點，因為他所能憑藉的只有自己被侷限的認知。

人們也把許多的美德附加在神／唯一存在的身上，那是因為那些美德是他自己所欣賞的。然而，當事情不順遂，或不幸的事發生時，人們也經常會歸咎於神，認為神沒善盡保護的責任，很令人失望，神怎麼可以允許這樣不公不義的事發生？

滄海之一粟，難以理解大海，就如同人難以透過有限的生命來理解永恆的存在。然而，就連好或壞，對或錯，都是被人所定義的，也因此是被制約認知。人們活在自己所定義的世界和塑造的規則裡，而且拉著神／唯一存在，要祂加入我們的遊戲規則。

其實，神／唯一存在的全面性思維，並非我們所能模擬。事情發生的因果，好壞對錯的判定都不是神／唯一存在的概念，而是人的主張。不幸的事件是我們生命經歷的一部分，也是成長與轉機的要素。

如果有一天，我們的意識能夠提升到一個高度，或許我們能瞥見神／唯一存在的視野，同時對全面的觀點敞開。

1/14

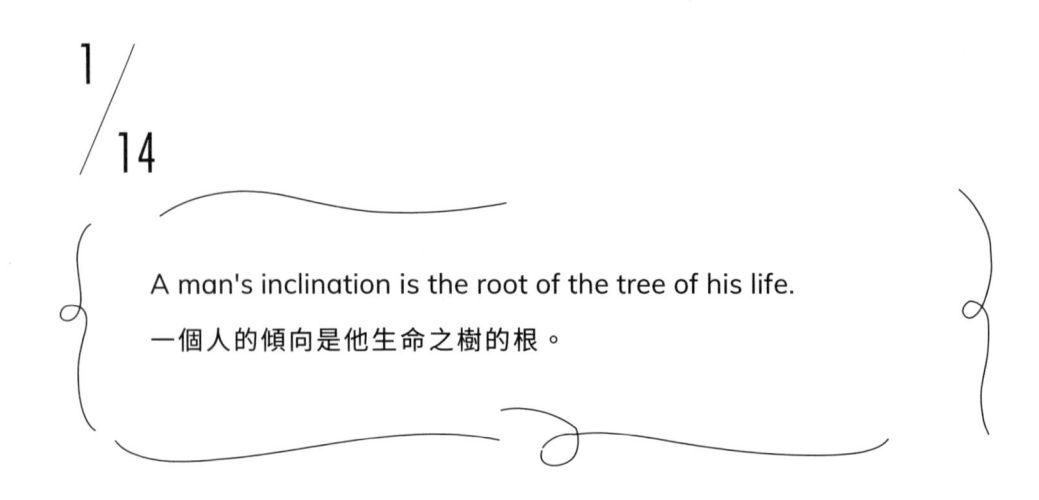

> A man's inclination is the root of the tree of his life.
> 一個人的傾向是他生命之樹的根。

每個生命都有他與生俱來的傾向；他內心真正的渴望，讓他感到由衷快樂的事，都隱藏在這個傾向當中。

一個人在生活中，會暫時需要一些東西，也為這些東西付出努力。然而，他如果無法發展或滿足自己的傾向，就會惶惶不安，如無根的浮萍。在生命終結之前，會感到十分遺憾。

只有發掘自己的傾向，並且朝那個方面走去，一個人的生命之樹才能開始紮根、擴展，他的心才會感到安定。反之，如果無法發展、探索自己的傾向，他的生命之樹就得不到滋養，難以吸收養分而凋萎，同時他也不會快樂。

我們都明白，一棵樹如果沒有強韌的根，就難以茁壯；一個人也是，如果無法成就他的傾向，他的生命就無法活出他真正的力量和樣貌。

1/15

> Yes, teach your principles of good, but do not think to limit God within them. The goodness of each man is peculiar to himself.
>
> 是的,你可以教導你的善的原則,但不要企圖把神/唯一存在侷限於其中。每個人所認定的「善」,都是適合他自己的。

每個人都有適合自己的善的原則,然而,對於善或惡的判定,總是附著於個人「有限的所知」而來,不能被當成一個普世通行的善惡標準。這裡所闡述的「善的原則」,也可以延伸理解為,「每個人都有適合自己的宗教」。我們不必強迫別人信仰我們認定的神,也不需要去詆毀別人所信仰的神。

「每個人的神都是所有人的神,然而,為了要理解神,每個人必須創造自己的神。」哈茲若‧音那雅‧康百年前,就說出了這麼發人深省的話語,他充分理解宗教的歧異性與多樣性。

於是,尋求正義的人,會找到主持正義的神。尋求美貌的人,會找到賜予美貌的神。尋求愛的人,會找到的充滿憐憫與寬恕的神。有些人想要力量,他自然會在神當中找到他要的力量。

在民俗信仰當中,存在著各式各樣的神:有帶來「姻緣」的「月老」,有主持正義的「關帝君」,有保護漁民安全的「媽祖」;在印度則有一次滿足你所有慾望的豐盛女神Lakshmi,和帶來生命力與生育力的雪山神女Parvati……。

Bowl of Saki

人們所尋求的一切，都是神的某個面向。雖然神／唯一存在於不同文化被賦予了不同的名字，卻都是同一個神。只不過，每個靈魂在這個世界上，所想要達成的目標是不同的，因此，每個人會在神之中，尋求各自所想要的東西，來實現他們的目標。

1/16

> To learn to adopt the standard of God, and to cease to wish to make the world conform to one's own standard of good, is the chief lesson of religion.
>
> 宗教所帶來的主要功課是：學習採用神／唯一存在的標準，而且不再期待要讓世界符合自己「善的標準」。

在《聖經》中，我們常會讀到這樣的故事，每當有人來到耶穌面前，譴責他人的「罪行」，期待耶穌支持他們時，耶穌總是令他們失望。因為，耶穌從來不會去定罪他人。他觀看的眼光不同，他看不到凡人所見的「罪行」；他的悲憫，令他只能寬恕。他了解善惡對錯是非常複雜的議題，在行為表象之下，總隱藏著更深的事實。所以，沒有人可以去判定另一個人是有罪的。

然而，愈是無知的人，愈是喜歡高舉道德和教條的標竿，來指責他人的不是。他們積極地劃分好壞與對錯，容不下踰越他們的標準的人。同時，他們希望神／唯一存在是站在自己這一邊，就像《聖經》中來到耶穌面前告狀的人一樣。

人們一直以來，總是希望神來符合自己的標準和期待，當事情不如所願，他的信仰立刻就受到打擊，甚至感到被神拋棄。極少有人會對神／唯一存在說：「讓你的意志在世上被執行。」大多數人都想要操控神，來執行自己的意志。

其實，每個人心中都有一套善惡好壞的標準。這個標準的形成受到許多因素影響：成長背景、人生遭遇、你的文化、種族、甚至宗教……。我們所謂的善惡

或好壞，都和我們的舒適與否有很大的關係。讓我們感到舒適的，我們認爲是良善、是好的；讓我們感到不舒服的，我們認爲是邪惡、是壞的。

每個人自以爲是的標準背後，都可能存在著不自覺的偏見。直到我們意識到這一點，並且願意跟隨神／唯一存在的標準，我們才眞正有了信仰，也學會宗教的眞諦。

1/17

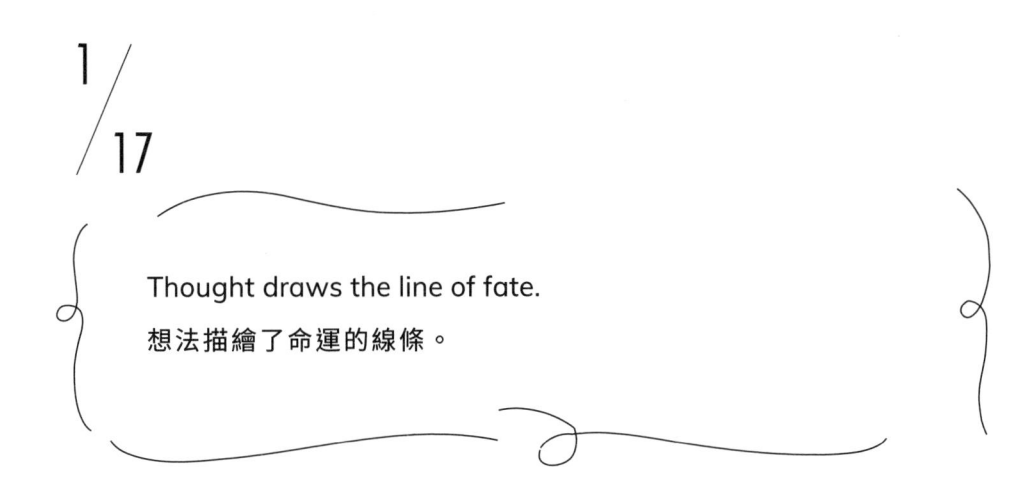

> Thought draws the line of fate.
> 想法描繪了命運的線條。

人們的心智是很容易受影響的。這意味著，人們不自覺地收納了社會、媒體、家庭、文化、身邊圍繞的事物的影響，讓這些影響烙印在心智上。

大多時候，人們的疾病、健康、繁榮、失敗，都取決於他的心智。於是，我們可以說，一個人烙印在心智上的想法，決定了他的命運。

例如，一個人認為：「一切都是來為生命服務的。」這個念頭，會讓他欣然迎接生命中的遭遇，跋涉過逆流。然而，如果一個人認為：「改變是可怕的！我要盡可能維護我目前安穩的生活。」那麼，辛苦的遭遇會令他抗拒，甚至把他擊垮。

命運既不是天數，也不是前世業力所決定。而是你的想法，透過吸引力法則，透過量子糾纏的原理，它默默持續運作著；連結了成千上萬個心智，提取數不清的資源，彙整為你所呈現的結果。

1/18

> Misbelief alone misleads; single-mindedness always leads to the goal.
>
> 錯誤的信念本身會產生誤導，一心一意最後總是會達到目標。

人們渴望知道人生的目標，這是內心自然的嚮往。然而在追尋的過程中，卻容易陷入謎團，舉棋不定。什麼都想做，但是熱情不能持久，導致前往的目的，一再變更。

哈茲若・音那雅・康說：「誠懇追尋人生真正的目標的人，他本身也會被這個目標追尋。」這句話令人沉思再三。原來，不僅你在尋求你的目標，想要被你完成的那個獨一無二的目標也正在尋求你。

如果你不夠熱愛你的目標，就會朝三暮四，一直走到岔路上。

人生最大的挑戰是，選擇你想要的一條路，堅持走下去，直到目的地。這麼做需要專注力、意志力、信任，以及愛。

1/19

> A king is ever a king, be he crowned with a jeweled crown or clad in beggar's garb.
>
> 國王永遠是國王，不管他是戴著寶石的皇冠，還是披著乞丐的衣服。

我曾經在一個墓地，看見一群托缽僧（Dervish）坐在草地上交談。他們都衣衫襤褸，有的人沒有鞋，有的人沒有外衣；有的人的襯衫剩一個袖子，有一個人兩條袖子都沒了，有的人外套有上千個補丁，還有個人戴著只剩下帽簷的帽子。這群人真是奇特的組合。他們的老師抵達之後，⋯⋯他們開始進行儀式。以沉思、以簡單的旋律唱起許多詩人的詩歌，演奏各種樂器來伴奏。就在他們要解散時，一位托缽僧起身，宣布晚餐的事，他用以下措辭稱呼大家：「萬王之王啊！帝中之帝啊！」當時我覺得好笑，不免注意到他們的外表⋯⋯。

但我愈思考這個問題，就愈懷疑究竟是環境，還是想像力造就了國王？答案終於出現了：國王其實不會意識到他的王權以及他被賦予的奢華和權力，除非他的想像中反映了這些事物，才能證明他的主權。

由於時間的流逝和事物的變化，使得地球上的所有國王都成為轉瞬即逝的國王，統治著轉瞬即逝的王國；這是因為他們是依賴環境而不是想像力而來的國王。

但是托缽僧的王權，獨立於所有外部影響，純粹奠基於他心智的觀感，

Bowl of Saki

並被他的意志力量強化，這是更加真實的，也是無限和永恆的王權。

雖然，從唯物主義的觀點來看，他們的王國一無所有，然而從精神的觀點來看，它是一個不朽而精緻的歡樂王國。

哈茲若‧音那雅‧康所講述的這個小故事，為這一天的箴言做了最佳註解。

只有心靈被美麗加冕的人，才是永遠的國王，不論他們的外表如何。

1 / 20

> To treat every human being as a shrine of God is to fulfill all religion.
>
> 將每個人都視為神的聖壇，就是履行了所有的宗教。

有個上師率領他的學生們去造訪一個村莊，當時他正在斷食。同時，他的學生也都跟著發誓要斷食。他們抵達農夫的家，那家人非常熱情和開心，為他們準備了晚餐。當他們被邀請一起同桌吃飯時，那個導師走過去坐下來，但是學生們都不敢，因為他們認為已經發誓了。他們心裡想著：「老師記性不好，忘了他發過誓。」

晚餐結束之後，他們走出農夫家，學生們問上師，「你忘記你發誓要斷食嗎？」

「沒有，我沒有忘記。」上師回答：「但是我寧願打破我的誓言，也不願意傷害另一個人的心，他那麼熱情地為我們準備了食物。」

當這位上師體貼那個農夫的心意，他也就敬拜了神。他教導學生理解，人心比所有的誓言可貴，更需要溫柔的對待。

在任何時候，我們都有行善的機會，在逆境或順境，甚至日常的情況中，只要我們花一點心思去意識到他人的感受。

音那雅・康說：「沒有什麼宗教比愛更偉大。」

神／唯一存在就是愛。而要表達愛，最好的方式就是認真地思考我們所接觸的人的感受。

就如先知所言：每個人的心都是聖殿；敬拜神，是從體貼他人的心開始。如果傷害了他人的心，也就讓神傷心了。

1/21

> The wise man should keep the balance between love and power; he should keep the love in his nature ever increasing and expanding, and at the same time strengthen the will so that the heart may not easily be broken.
>
> 智者應該在愛與力量之間保持平衡。他必須讓自己本性中的愛不斷增長和擴大，同時鞏固意志，讓心不輕易破碎。

與其害怕被傷害，而想要築起一道牆來保護自己，還不如增進自己去面對世界種種挑戰的能力。因為，無論你建構的牆多麼高，浪潮總是會翻過牆來，把你的船打翻。

我們唯一能做的，就是設法保持平衡，讓自己本性中的愛繼續增加，同時在不和諧的影響交錯之下，增強自己的意志力，以便去承擔所發生的一切，還能保有良好的品格、高尚的舉止以及一顆永遠鮮活的心。

因世界的冷酷而冷漠，是軟弱；因世界的堅硬而破碎，是虛弱。

生活在世上，卻又能超然於世，就像在水上行走一樣；只有在愛和力量之間取得平衡，才能行雲流水，處變不驚。

理想的生活取決於平衡；人必須細緻，但堅強；有愛，又強大。

1 / 22

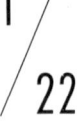

> Failure comes when will surrenders to reason.
> 當意志屈服於理性，失敗就會隨之而來。

意志力是神聖的能量。它會帶來信任，而信任讓我們能夠達成心中的渴望。

一個意志力薄弱的人，很容易半途而廢；好不容易點燃的希望之火，也經常被理性澆熄。他可能一輩子都在等待適當的時機，然而，在理性和懷疑的交錯琢磨之下，那個「時機」似乎永遠不會到來。

心理學有一個重要的規則就是，每一個在心中扎根的動機，都要被澆灌和栽培，直到它能夠充分發展。如果一個人忽視這個義務，他不僅會損傷這個動機，削弱自己的意志力，同時，他頭腦的運作也會變得一團混亂。所以，無論是多麼微不足道的事，一旦決定要去做，就要把它完成。即使這個動機表面上看來並不重要，但是，穩定堅持下去，把目標完成，依然可以鍛鍊心志，強化意志力，保持內在的機制良好運作。

譬如，你正在做一個蛋糕，遇到一些挑戰。於是，你對自己說：「我還是花錢去買就好，比較省事。」如此一來，你就喪失了強化意志力去完成渴望的機會。

這也是為什麼，我們一旦開始處理一件事，不論那是什麼，就必須完成它。並不是為了那件事本身的重要性，而是在完成之後，我們所獲得的心靈效益。

1 / 23

> Success comes when reason, the store of experience, surrenders to will.
>
> 當累積的經驗而來的理性，屈服於意志時，成功就會到來。

理性在通往成功的路上是必要的。但是過度的理性，會支配和影響一個人的意志。導致意志被癱瘓，發揮不了作用。因此，也不可能成功。

理性彙整了常識當中的經驗，以此為準則，排除意外和不可預期，因此很難去冒險，走一條沒人走過的路。理性會提前扼殺創意或別出心裁的想法。

譬如一個女生想要到山上獨居，她的理性可能會搜尋新聞，告訴她一百種不要這麼做的理由：這麼做很危險，晚上沒有路燈很可怕，沒有鄰居可以協助你，你可能會被侵犯……。

她的意志就會退縮，無法展開行動去嘗試夢寐以求的生活。

然而，如果讓意志去引導理性，其他人的常識只是做為參考。她可以做好合理的準備，而且展開一段新鮮的生活體驗。

理性是僕人，而意志是國王。讓國王來決定想做的事，而理性來服從他的願望。如此，很多事情就會成功。

1 / 24

> There is an answer to every call; those who call on God, to them God comes.
>
> 每個呼求都會被回應。那些呼求神的人，神就會前來。

我們所處的宇宙一直都在回應靈魂的祈求，這是它自然的運作方式。

然而，有些人的祈求是善變的，在他尚未被回應的時候，他已經改變了心意。因為自己的心意不定，宇宙也無從回應。

這就像是宇宙送出信件，但在還沒有抵達的時候，收信的地址已經改變。於是，這些人收不到信，他們感覺自己的祈求沒被聽見。

當你對神／唯一存在發出真摯的祈求，神會以各種面貌前來回應你。你如果無法張開眼睛，在來到你面前的眾生看見神的存在，你也會錯過神所遞送的訊息或包裹。

神不是存在於神龕上的雕塑，或是畫片上的圖像，祂是活生生的存在。神性在一切眾生展現，也在大自然之中發光。祂一定會回應，但未必是你預期或設定的方式。

1 / 25

> He who thinks against his own desire is his own enemy.
> 那些違背自己意願的人,就是自己的敵人。

如果你想要嘗試某件事,然而同時,你也想著,這樣做可能不會成功的種種理由,甚至,你下意識去搜尋所有相關的失敗案例,那麼,你正在反映出失敗的可能,就在還沒有嘗試之前,失敗已經進駐你的意識。

這也是為何一個悲觀的人,總是會違背自己的意願,很難跨過那個門檻,去嘗試新的冒險或探索。而一個成功的人,因為他的意識當中,充滿成功的回饋機制,這也反映在他的效率以及生產力。於是,成功的心理學繼續帶來成功,而失敗的心理學繼續養成失敗。

成功或失敗的祕密,取決於一個人的態度。而一個人的態度,是他生命內在的續航力。這個強大的力量隱藏在每個人心中。這也是為什麼,哈茲若・音那雅・康說,我們心所擁有的願望,是「神聖的衝動」,我們需要栽培它,因為因那是我們魂魄和意志的「行動電源」。

1 / 26

> The brain speaks through words; the heart in the glance of the eyes; and the soul through a radiance that charges the atmosphere, magnetizing all.
>
> 大腦透過語言說話；心透過眼神傳達；而靈魂透過在它的氣場所散發的光，吸引一切。

語言是大腦表達思想的工具，思想是無形的。眼神是傳達心意的載體，心意是抽象的。而靈魂更是看不見的存在，當它的光透過身體輻射出來，一個人的眼睛和臉都會發光，他的周遭自然散發吸引力。

靈魂的吸引力，來自於光所造就的磁場。

當靈魂愈有力量，它的影響力就蔓延愈廣，沒有障礙物擋得了它；當靈魂愈強大，它的影響力也愈久遠，可以綿延好幾世紀。

一個人的氣場，就是靈魂所演出的靜默的音樂。

1/27

> Love is the merchandise which all the world demands; if you store it in your heart, every soul will become your customer.
>
> 愛是全世界都需要的商品；如果你把它儲藏在你的心，每個靈魂都會成為你的顧客。

在疫情期間有本韓國的暢銷書《歡迎來到夢境百貨：你所訂購的夢已銷售一空》。寫睡著的人，才能造訪夢境百貨，挑選自己想要做的夢。夢境製造師各擅其長，製造各種主題的夢。這個設定很有意思，夢成為商品，是可以自己挑選的，想要做什麼夢，渴望夢見什麼，這其實是非常療癒的事。當做夢的人，被夢打動了，他的「心動」就成為支付夢境的儲值金，回饋給販售夢境的公司。

想像如果愛是商品，只有在人的心中儲存，那麼，儲存最多的愛，而且可以「分享和供應的人」，肯定會供不應求。愛透過各種形式呈現，配置為各種情感：容忍、寬恕、陪伴、美麗、和諧……，這些都是愛的分身。

世界上沒有人不需要愛，就連想要專注學習，都需要有感覺才辦得到，沒有人可以對自己討厭的東西專注。就算是匱乏愛，無法給予愛的人，也渴求獲得愛的滋潤。這個世界因為愛而存在，宇宙的運作所依賴的不是法則、教條，而是感覺。而且，一個人只有做自己喜愛的事，才能充分發揮能力，獲得成功。

1/28

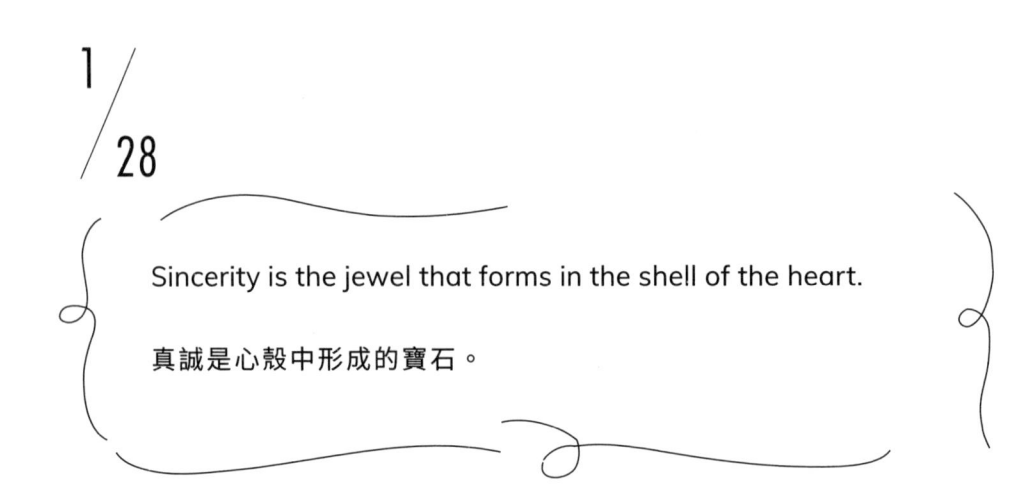

> Sincerity is the jewel that forms in the shell of the heart.
>
> 真誠是心殼中形成的寶石。

真誠的力量經常被忽視。事實上，一個虛偽的人，不論意志力多麼強大，或是體格多麼健壯，都會被自己的虛偽壓制，難以理直氣壯。因為虛偽猶如鐵鏽，會侵蝕掉一個人的核心，讓他無法挺直腰桿，站立起來。

一個人的真誠，是心中最珍貴的資產，也是無價之寶。一個真誠的人，他言行如一，透露出正直的影響力和魅力，很容易打動人、令人想要跟隨。所有在生命中做出偉大貢獻和改變世界的人，都是奠基於真誠的力量。如果沒有真誠，一個人走不遠，也難以持久。

在這個充斥著虛假的世界裡，許多人被膚淺的表象吸引，也因而模仿這樣的言行舉止。其實，這是非常不可取的態度。如果，我們能夠在教育中，就幫助年輕人了解「真誠的品格」的重要性，這遠比灌輸他們知識，更會影響他們一生的成敗。

1 / 29

> Self-pity is the worst poverty; it overwhelms man until he sees nothing but illness, trouble, and pain.
>
> 自憐是最嚴重的貧窮。它會將一個人壓垮，直到他什麼也看不見，除了自己的疾病、困難和痛苦。

每個人都有這樣的經驗，當我們和一個自私、總是只想著自己、為自己打算的人在一起，我們會感到難以忍受；而當我們和一個不那麼自我中心、會看見別人、替人著想的人在一起，相處會變得容易許多。

因為自憐的人只對和自己的生活相關的事情感興趣，無視於他人的煩惱。所以很容易就放大自己的問題，使得它們變得沉重不已，快樂離他遠去，世界只剩下愁苦和不如意。即便只是一個小傷口，也會因為他的自憐而疼痛加劇。

波斯有個思想家薩迪（Saadi），在回憶他的生平時，寫了這麼一件事：「曾經，我沒有鞋子穿，我必須赤腳走在滾燙的沙子上，感到自己很悲慘。這時，我遇見一個人，他跛著腳，走路對他而言十分艱難。我立刻向天跪拜，表達我的感激，因為比起一個甚至沒有腳可以正常走路的人，我的處境好太多了。」

這個故事讓我們知道，讓一個人快樂或不快樂，從來不是他所遭遇的處境，而是他的態度。這也是為什麼，那些在逆境中還能夠秉持樂觀的人，比較有機會翻轉命運；而自憐的人反而會陷入自己挖掘的悲慘洞穴，被憂鬱和抱怨癱瘓。

1 / 30

> The heart is not living until it has experienced pain.
> 除非經歷過痛苦，否則心並不曾真正活著。

有一句關於心的諺語說：「我的心碎了，敞開了！」（My heart is broken, open.）

由於心碎帶來的痛苦，讓保護心的殼碎裂，於是心敞開了！有些深刻的感受，需要經歷過痛苦，才能破殼而出。

一個不曾經歷痛苦的人，很難同情那些遭受痛苦的人。同情不只是愛或感情，它是透過對痛苦的了解，而令心產生感同身受的情感。如果沒有過痛苦的洗禮，是不可能擁有這樣的了解。

哈茲若‧音那雅‧康對於「痛苦」（suffering）的定義很有趣：

> 痛苦可以是一種祝福。如果痛苦是為了更崇高的想法、為了神、為了理想，就會把人提升到天堂的頂點。如果受苦是為了低等的想法、為了自我、為了驕傲、為了占有，就會把一個人推入地獄的深淵。

然而，不論是為了崇高或是低等的想法而受苦，不論是為了理想或慾望而受苦，這個人的心都是活著的。痛苦是心為了活著，所付出的代價。相較之下，情感麻木或僵硬的人，雖然保護自己不痛苦，然而他無法感受愛和熱情，最後，連他們的自我也被奪走。

1/31

> The pleasures of life are blinding; it is love alone that clears the rust from the heart, the mirror of the soul.
>
> 生活的樂趣令人眼花撩亂；只有愛才能清除心的鏽斑，而心是反射靈魂的鏡子。

蘇非學派認為，一個人的心是一面鏡子。這面鏡子反射的所有東西，都會投射到其他的鏡子上。因此，一個人如果心中蘊藏著懷疑，這個懷疑將投射到所有來到他面前的人心中。而當一個人充滿信心，這個信心就會投射到他所接觸的每顆心。

還有什麼是比這個更有趣而生動的心理研究呢？

從能量心理學來審視這個現象：一個人的心理，如果浸染著受害意識，那他的苦澀、怨恨，會投射出去，讓來到他面前的人不自覺繼續加害他，創造更多的苦澀和怨恨；因為這些情緒早已透過他的心，投射在他人的心中。

所有苦澀、怨恨、報復……，都如鏽斑，會遮蔽一個人的心，也讓靈魂的光黯淡。只有當我們能夠以愛擦拭掉這些鏽斑，心才可能恢復它的清明。

一顆清明的心，不僅可以反射出內在靈魂之光，也可以讓光投射到一切來到他面前的心。

FEBRUARY

2/1

> The pain of love is the dynamite that breaks up the heart, even if it be as hard as a rock.
>
> 愛的傷痛是把心炸碎的火藥，即便那是堅硬如石的心。

「無論所愛的人在或不在，愛人的悲傷都是持續的。當所愛的人在的時候，愛人擔心他即將不在；當他不在時，愛人又渴望他能在身邊。」哈茲若・音那雅・康這麼輕巧的一句話，道盡愛人的憂思，患得患失。

愛必然會帶來痛苦，沒有痛苦的愛就不是愛。沒有經歷過愛情痛苦的人，沒有嚐過相思苦澀的人，就不是愛人，他只是假裝愛著。

波斯詩人魯米這麼描述愛人的招牌特徵：深深的嘆息、溫和的表情、濕潤的眼睛、吃得少、說得少、睡得少，這些都是為了愛而牽腸掛肚的表現。另一位同時期的抒情詩人哈菲茲則說：「我生命中的所有幸福，都是我的心在夜裡不斷流淚和不斷嘆息的結果。」

而當包覆著心的堅硬外殼被粉碎，很奇妙的，喜悅之泉也會跟著湧現，因為，心正在恢復活力。

2 / 2

> Our virtues are made by love, and our sins are caused by the lack of it.
>
> 我們的美德是由愛而生，我們的罪則是因為缺乏愛所造成。

對於一個蘇非而言，所有的善行都是愛。當然，有人會說，所有的惡行也常是為了愛，但其實惡行不是出自愛，而是缺乏愛所造成。例如：一個人如果從小在缺乏愛的環境長大，他對於愛的渴望從來沒有被滿足，導致他開始切斷這個渴望，以便不再受傷。

這個人長大後，由於對於愛缺乏練習，給予愛或接受愛都對他很困難。就算他是個盡責的父母，然而他的言行卻總是冷酷或嚴厲的責罵，因為他的內在沒有能力真正愛自己，賞識自己。導致他的兒女，繼續在一個只有被期許去達成責任，但是感受不到愛的關係中成長。

因為他早已切斷自己的渴望，他的心築起一道牆，讓他也難以覺察身邊的人的需求。在不知不覺中，他繼續複製了一個缺乏愛與同理心的環境，也造成身邊的人持續受傷卻難以察覺。這些令人遺憾的事，是缺乏愛所導致的結果。

也有些人會以愛為名，而進行操控或占有。這樣的人，內在通常是對於愛極度匱乏，感到不安全，是害怕失去愛所導致的扭曲行為。

只有當一個人，能夠超越他過去的處境所帶來的制約和傷害，讓心牆瓦解，他的心才能再度柔軟開放，可以聆聽並且接納自己的渴望。這時候，愛的能量會再度湧入，流動，灌溉，滋潤他所有的關係。

2/3

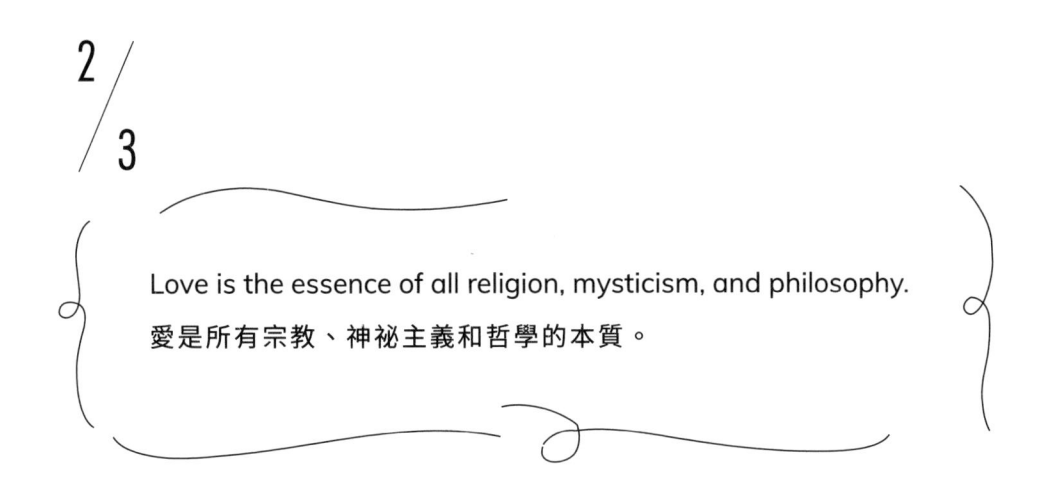

> Love is the essence of all religion, mysticism, and philosophy.
> 愛是所有宗教、神祕主義和哲學的本質。

這句話，帶著一種不容置疑的篤定，說的是人類一切的精神追求與探索，歸根究底都是回到愛的本質。

愛的本質是什麼？當一個人全心全意地愛著另一個人，他的處世標準只有一個，就是以他所愛的人為中心考量：當愛人滿足，他就滿足了；當愛人被餵飽，他也就飽足；當愛人被稱讚，他與有榮焉。他對於鍾愛的人，不離不棄，就算他的愛人耍性子、不忠誠、遠離他，他的愛，使得他包容一切，甚至有一天，他的自我從他眼前消失，他眼前所見只有愛人的形影，心中只感知愛人的願望，只要是愛人許願，他都想去達成。

所以，這跟宗教、神祕主義或是哲學，有什麼關係呢？

宗教是我們與神之間的愛。當你虔誠敬拜，交託自己，神就是你的愛人，而你也是神的愛人。你自然會想要去實現神的願望，就如同你會去達成愛人的願望。

神祕主義追尋「合一和同在」的體驗。相信一切即一，一即一切。因此，從一粒沙可以看見世界。唯一存在並非一個外在的存在，而是從內在去體會的存在。也只有愛人才能從內在體會被愛的人，總是與他同在，想要結合。

哲學一詞源自古希臘語，意思是「愛智慧」。透過思辨，想要提出對於世界和生命現象的本質解釋。然而，對蘇非學派來說，唯一重要的原則就是：「體貼他人的感受。」只要能夠在生命中實踐這一點，他就不再需要為哲學煩惱，或追隨任何宗教，因為這個原則已經涵括宗教和哲學的本質。

2/4

> The fire of devotion purifies the heart of the devotee, and leads unto spiritual freedom.
>
> 奉獻之火淨化奉獻者的心，並且帶來精神自由。

何謂奉獻？

奉獻是心甘情願地給予自己，不是為了完成責任，不是義務所迫，更不是為了討好而獲得獎勵；這是心的選擇。

在什麼情況之下，一個人會想要將自己奉獻給予另一個人？只有愛，會促使一個人樂意這麼做。如果不是愛的緣故，那樣的犧牲就不是奉獻，甚至可能會帶來抱怨或痛苦，如果你沒有獲得預期的回報。

由於專注地愛著，讓虔誠奉獻的人，性格變得甜美；他的心被奉獻之火淨化，不再猶豫。他的眼裡只看見他想奉獻的對象，就如同愛人的眼裡，只有被愛的人。

當他奉獻的對象是神／唯一存在，那麼毫無疑問，他的心已經臣服。這個專注的力量，幫助他斷開其他慾望的網縛，為他帶來自由，甚至幫助他不再受業力制約，讓他可以去完成神／唯一存在要他去完成的事，這樣的願力和專注會讓許多奇蹟發生。

在《薄伽梵歌》中，印度的愛神克里須那說：「我是我奉獻者的心。」當你有了一個無怨無悔的奉獻對象，以及值得追求的對象，相對之下，你也會獲得莫大的力量和安定。

$\dfrac{2}{5}$

> Mysticism without devotion is like uncooked food; it can never be assimilated.
>
> 沒有奉獻的神祕主義，就如同沒煮熟的食物，難以消化。

虔誠的奉獻，是愛的一種方式。在生活當中實踐神祕主義（Mysticism）的人，我們稱之爲祕士（Mystics）。蘇非的故事當中，記載很多擁有神奇力量的祕士，他們洞悉自然法則的真知灼見，他們顯露的美麗人格，都讓我們看見，灌溉他們心靈的泉源是愛和奉獻。

因爲把自己奉獻給神／唯一存在，神成了他們的愛人，而他們成爲被愛的人。在波斯詩人當中，許多膾炙人口的情詩，都是這樣誕生的。

因爲與唯一存在合而爲一，個人的意志謙讓，爲神聖的意志服務，把自己的生命當成一把樂器，供唯一存在彈奏。他們的作爲或不作爲，是順應宇宙天地之道，他們的自我融入更大的無我，而無我透過個人來運作。

這才是神祕主義的可口與迷人之處。

如果沒有愛和奉獻，神祕主義就只是空談，是生冷的哲理，難以咀嚼下嚥。

2/6

> He who stores evil in his heart cannot see beauty.
> 那些把邪惡儲存在心裡的人，看不見美。

哈茲若・音那雅・康對於善惡的見解，和一般哲學家十分不同。

他並不直接去談論善惡，或定義善惡，對他而言，沒有什麼是絕對的善或絕對的惡。在好人當中，你一定能夠挑揀出他的毛病；在惡人裡面，如果仔細尋找，也一定能夠看到他良善的微光。如果你稱讚一個人有多麼好，旁邊總會有人立刻插嘴批評他「做得不好的地方」，歷史上沒有人是沒被說過壞話的。

因此，並沒有善或惡的標準，只有美或不美的問題。那些美麗的事物，不論那是言行、思想、念頭、表演或藝術，就是好的，善的。相對之下，那些不美的事物，就是不好的，邪惡的。整個宇宙的現象就是美的現象。因為每個靈魂都是傾向於美，喜愛美的事物，欣賞美的表達或藝術，想要自己能夠變得更美，發展美的人品，沉醉於美的風景。

然而，有些人被他在世上的經歷影響，邪惡的印象逐漸囤積在心裡，把他的心變成了一座陰森的屋子，鬼影幢幢，在那個屋子裡反射不到美，他看不見美。甚至，他還會把醜惡的頻率和念頭，植入他人的腦海裡，影響他人的言行和想法。

這也是為什麼，我們需要在邪惡的念頭、令人不快的言行一開始出現時，就要自我覺察，把它們消除，即時淨化我們的心房，恢復它的明淨與安寧。

2/7

> The wise man, by studying nature, enters into unity through its variety, and realizes the personality of God by sacrificing his own.
>
> 智者透過研究大自然，經由它呈現的多樣性而看見它們的一致性。同時，他透過犧牲自己的人格，來讓神／唯一存在的「人格」在他身上呈現出來。

波斯詩人魯米觀察到：「所有隱藏的事物都是透過它們的對立面而顯露出來的。不過，神沒有對立面，因此，祂仍然隱而不顯。神之光在創造的層次是沒有對立面的，可是透過被創造的萬物卻顯露了神。」

我們可以想像，如果整個世界全都是白色，我們會看不到白色，因為沒有對比，沒有光影，沒有深淺，也不會有顏色。因此，要看到白色，我們需要其他的顏色來對比出它的存在。

大自然之所以美麗，在於它的豐富變化；各式各樣的物種，透過獨特的顏色和形狀，呈現繽紛樣貌。不過，如果我們有足夠的智慧，就不會被這樣的現象弄得眼花撩亂。只要沉靜下來，我們可以看得更深：在多變的生命之中，有個一致的精神；是這個精神讓種子發芽，讓魚群繁衍，讓一個人追求自己靈魂的目的。

當一個人意識到這一點，他的人格在生命演化的層面上，便開始具備「神的人格」。我們在「活出自己」的同時，便能更意識到神的光影、形色，而祂的人格也在我們的身上彰顯。

於是，在個別發展的同時，圓滿了內在合一的嚮往。

> Love manifests towards those whom we like as love; towards all those whom we do not like as forgiveness.
>
> 愛，對自己喜歡的人，表現為愛；對所有我們不喜歡的人，則表現為寬恕。

在蘇非的哲學當中，愛與和諧是最重要的實踐。它所推崇的聖人是：無論處於怎樣的境遇，不管地位是榮耀或卑微，他們總是有著「微笑的額頭」（smiling forehead）。微笑的額頭，指的是一個人的表情，是放鬆而愉悅的。因此，他們所散發的和諧氛圍，不會被外在情勢動搖。

在生活當中，從早到晚，每個人都會經歷許多事；有些好事，有些不好的事。然而，讓每個人的經驗產生差異的，並非這些事件本身的好壞，而是一個人面對生命的態度，以及看待他人的方式。

愛自己喜歡的人很容易，對家人、朋友、敬愛的人，你表達愛，並透過愛產生連結。然而，面對你不喜歡或拒絕你的人，愛則以另外的方式展現，表達為包容、仁慈，寬恕他人的言行、傷害和一切不完美，這是更不容易的愛。透過練習「忽略他人的過錯」，才能做到這一點。

無論一個人值得或不值得，他都需要被寬恕。只有透過寬恕，才能讓人超越當前的處境，讓和諧與美重現於內心，使額頭能夠微笑。

Bowl of Saki

> Love brought man from the world of unity to that of variety, and the same force can take him back again to the world of unity from the world of variety.
>
> 愛將人從合一的世界帶入多元化的世界，同樣的力量也能將人從多元化的世界帶回合一的世界。

每個民族和宗教都有它們的創世紀傳說。

就蘇非的哲學而言，神／唯一存在為了想要體驗光譜之中全部的顏色，想要分辨形狀，於是祂創造了萬物。也因為祂愛祂所創造的一切，於是祂進入祂所有的創造物，與它們結合。這也是為什麼，萬物都有神性。神的精神（spirit），唯一存在的呼吸貫穿一切：原子、岩石、大地、植物、飛鳥、走獸、游魚、爬蟲、人類、精靈、天使、地水火風四種元素……。唯一存在並不只是屬於人類的存在，也並不僅是「與人合一」，祂隨時可以進入萬物，與萬物融為一體。

只要從這個角度來理解「合一」，便可以脫離以人為中心的思想，進入尊重萬物，容許萬物並存的世界。

人是在愛之中被創造，誕生在這個豐富多樣的世界，具有個體意識。直到有一天，人們看清真相，知道身邊的萬物，都和自己一樣擁有同樣的靈性，而在人生旅途的終點，人類將再度捨棄自我，融入神／唯一存在。

當這個認知在個人的意識當中覺醒，這個人的生命立刻產生變化。

對這個人而言，不再需要道德約束，或環保教育，因為他已經明白，所謂的愛，無論你愛護的是他人，是樹木，是魚類或動物，你愛護的都是「自己」，就在這個了悟的當下，你已經與你所愛的一切合而為一。

2/10

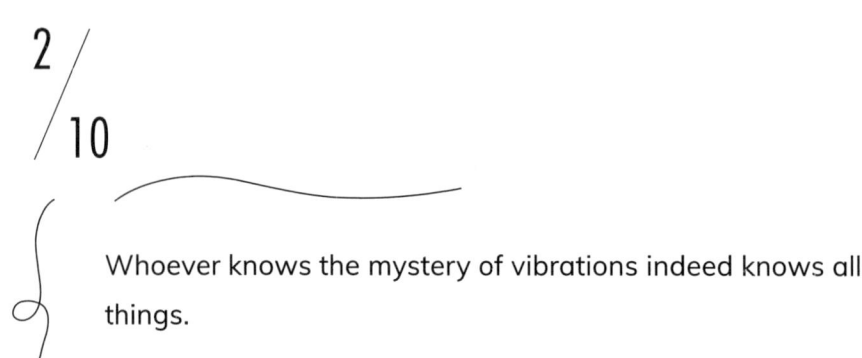

> Whoever knows the mystery of vibrations indeed knows all things.
>
> 誰知道了振動的奧祕，誰就真正地了解一切。

十九世紀的發明家尼古拉‧特斯拉（Nikola Tesla）說：「宇宙的一切都是振動；看不到外星世界，其實是我們沒有足夠的振動。」

我們所見、所聞、接收到的一切，都是振動。

如果不是因為振動，寶石不會呈現顏色和光澤、樹木無法生長、果實不會成熟、花朵不會綻放……。基本上，一切的存在都是依循振動法則。不僅實體的存在是振動的顯現，就連情感和思想也都正在散發振動，就算你看不見它們的存在，也感覺得到它們所散發的頻率高低。

存在當中有許多層次。振動愈是精微細緻的事物，愈是難以察覺，因為它們隱而不顯，譬如思想情緒、內在狀態。振動愈是粗大顯著的，就愈是具象，譬如礦石、植物、動物。然而，振動細緻的內在狀態，才是塑造外境的原物料。

雖然，科學家認為精神和物質是極為不同的存在，從哲學的角度來觀看，它們並不那麼不同，就如同液態的水，結晶成冰雪；外觀上縱然有細或粗之別，其本質是一樣的。

所以，當我們懂得練習呼吸，就會明白，呼吸是貫穿物質到精神的練習；你的心更是精微的訊息場，可以開啟天堂或地獄之門。

2/11

> He who arrives at the state of indifference without experiencing interest in life is incomplete and apt to be tempted by interest at any moment; but he who arrives at the state of indifference by going through interest really attains the blessed state.
>
> 一個人若不曾在生命中體會過令他感興趣的事物,就進入淡泊的狀態,他是不完整的,他的淡泊隨時會受到興趣的誘惑而被推翻;然而,一個人如果體會過生活的興趣,而後來到淡泊的狀態,就會真正獲得祝福。

當一個人不知道自己的興趣是什麼,也不曾經歷興趣所帶來的狂熱和誘惑,就說自己心如止水,對什麼都沒興趣。這並不是真正的淡泊。

真正的淡泊,首先要充分探索自己的興趣,學會分辨在自己的興趣之中,什麼是自己想要進一步發展的部分,和需要捨棄的部分。當一個人讓興趣自然而然發展之後,有一天,它也會自然凋萎。當經歷過興趣的事物,而後變得不再感興趣,淡泊才會出現。

我們沒有辦法假裝對一個東西淡泊,如果我們並不知道那是什麼。就像是一個人,如果沒有經歷過愛情的洗禮,便無法說自己是沒有牽掛,或是不會心動。

然而,當一個人經歷過熱愛,之後,來到放下的階段,他原本感興趣的東西,便不再綑縛他、牽絆他,這時候他便可以面對興趣的誘惑,也徹悟淡泊的內涵。

2 / 12

> Wisdom is greater and more difficult to attain than intellect, piety, or spirituality.
>
> 智慧比智力、虔誠或靈性更偉大，也更難得。

如何區別智力或智慧呢？

智力是由外在的名物和形式而累積的知識，我們會這樣誇獎一個人的智力，說他懂很多，思緒條理清晰，博聞強記，像是一部「行走的百科全書」。而智慧則是由內而生的另一種「知識」，比較像是葡萄陳年醞釀的酒香，是成熟的靈魂所散發的芳醇。

想要獲得智力，一個人必須透過鑽研和學習，鍛鍊邏輯和思辨力；想要獲得智慧，只需要跟隨神聖的慈悲流動，這是一個人內在的本性，就如魚在水中游，鳥在空中飛，也就是佛教所說的自性或本來面目。

智力讓我們看見外在世界的多元和不同，而智慧則引領我們穿越外在世界，看見在所有存在的表象之下，它們的一致性和更為本質的東西。

智慧源自內在的靈魂之光，帶來洞見和合一的體悟，把自我從小我的限制和綑縛，解放開來，進入內在寬廣的宇宙。

2/13

> Wisdom is intelligence in its pure essence, which is not necessarily dependent upon the knowledge of names and forms.
>
> 智慧是智力純粹的本質，它並不需要依賴名稱和形式的相關知識。

知識屬於智力的範疇，是頭腦透過對外在事物的學習，分析歸納而來。然而有另一種知識是發自內心，是透過自己直覺而來的學習，這是存在於人本質中的智慧。

智慧是涵融內在與外在的、圓滿的知識。

哈茲若‧音那雅‧康期許每個人要學習成為一個有智慧的人，而不是超人、通靈者或是施行奇蹟的人。

好好成為一個人，對於世界才會有所貢獻。

想要讓這個世界變得更好，需要真正的智者。無論是在商業、科學、農業、藝術或政治的範疇，智者都能夠同時看見物質和精神的存在，能夠看穿表象底下的本質。

只有這樣的靈魂，才能夠為這個世界帶來美麗與和諧，而這也正是我們所處的世界最渴求的狀態。

2 / 14

> Man forms his future by his actions; his every good or bad action spreads its vibrations and becomes known throughout the universe.
>
> 人們透過自己的行動塑造自己的未來；他的每一個善行或惡行都會傳遞振動，而且整個宇宙都會感知。

根據神祕主義者的觀點，我們賴以生存的世界是一個巨大的空間記憶庫，稱之為阿卡西（Akasha）。阿卡西裡存在著形成物質世界的元素，它被描述為一個圓頂穹蒼，我們在其中所說、所為、所思的一切都會留下紀錄，在這空間中迴盪，不停地折射、創造。

因此，阿卡西紀錄並不是靜止不動的紀錄，它是時時刻刻正在塑造未來的創造活動。我們所說的每個字，產生的每個想法，都成為阿卡西的種子或是胚芽，這是因果的由來。

一個精神力量強大的人，他的思想言行所創造的振動會更清晰，迴響會更廣泛地影響世界，並且塑造他的未來。

我們無論走到哪裡，都正在受到影響，也正在影響著別人。一個酒鬼會想要遞給別人一杯酒，讓別人陪他一起喝醉；一個大師，可以散播沉靜的氛圍，讓周遭的人群立刻安靜下來。內在和諧的人會散發和諧，而內在不和諧的人會散發不和諧。

一切取決於你想要怎麼調整自己的內在音樂，你的振動，你正在傳播的，或吸收的是什麼？

2/15

> The universe is like a dome; it vibrates to that which you say in it, and answers the same back to you; so also is the law of action; we reap what we sow.
>
> 宇宙就像一個圓頂空間，它會隨著你所說的話而振動，並以同樣的方式回應你。行動法則也是如此，我們種瓜得瓜，種豆得豆。

業力原則講究平衡，你所播種的，最後會回到你身上。然而，我們還是可以透過靈性的修行和練習，修正自己，讓自己有超脫業力的可能。

哈茲若‧音那雅‧康提出一個引人深思的論述：

> 一幅畫作本身就會激發畫家的靈感。隨著畫作的進展，畫家發現在這幅畫某個地方應該有不同的顏色。發現這裡不對，那個不恰當，諸如此類。當他看著這幅畫時，他開始看到了它的缺點，所以他到處修改它。每一個生命都是如此。……我們播種什麼，就收割什麼。我們會看到，我們所做的一切引起的反應，而這些反應改變了我們的生命。因此，畫家認為他必須以不同的方式完成這幅畫，而我們的行動所導致的後果也正在提示我們，我們是否應該改變我們的行為。

畫家能夠看到畫作需要修改的地方，代表他已經超越原本的自己。而每個人可能都要花好幾輩子才能逐步完美生命的畫作。

Bowl of Saki

2/16

> We are always searching for God afar off, when all the while He is nearer to us than our own soul.
>
> 我們總是在遠處尋找神／唯一存在，而祂始終比我們自己的靈魂更接近我們。

蘇非的教導一直以來，企圖帶給世界的真理是：「人可以潛入自己的內心，直到他觸及深處，在那裡他與整體的生命、所有的靈魂結合在一起，而且他可以從這個源頭獲得和諧、美麗、和平與力量。」

對於人而言，這段話是多麼堅定而神聖的背書啊！所謂的神／唯一存在，並不是一個遙不可及的存在，而是比自己的靈魂更貼近自己的存在。

> 我稱之為神的那一位，我認識祂的人格，我探尋祂的快樂或不快樂，祂透過我的眼睛看見祂的生命，透過我的耳朵聆聽，我呼吸著祂的呼吸。祂的衝動就是我的感受，因此，我以為我所擁有的這個身體，事實上是神的聖殿。

哈茲若‧音那雅‧康寫出這一段優美的註解，進一步說明，我們的肉身，參與了一個無比神聖的任務：人是神體驗生命的管道；就連我們的悲喜或衝動，都是在替神感受祂的感受。人也是神表達生命的樂器，我們的人格就決定了演奏的品質和旋律。

原來，當人在天涯海角向大師或修行者打探神的時候，神一直是在人的自身之中。

2/17

> Concentration and contemplation are great things; but no contemplation is greater than the life we have about us every day.
>
> 專注和沉思是很棒的事，但沒有什麼比我們每天的生活更值得沉思的。

要做夢是很容易的事，想像你自己如在天堂一般快樂並不難。然而，這些都不能真的為一個人帶來力量。只有克服你當前的考驗，才真正能帶給一個人滿足感，累積出自信與力量。

遠離世俗在山洞裡練習專注和靜心，雖然很美好，然而，如果能夠思索在生活中所面臨的功課，在關係中被擾動的心，那麼外在境遇成了反射內在的一面鏡子，照亮最需要克服的自我人格，顯現最需要拔除的刺和療癒的傷。

如此一來，生活成為最佳的修煉道場，而沉思會讓塵埃落定，讓智慧閃爍光芒。

Bowl of Saki

2/18

> He who expects to change the world will be disappointed; he must change his view. When this is done, then tolerance will come, forgiveness will come, and there will be nothing he cannot bear.
>
> 期望改變世界的人將會失望；他必須改變他的看法。當他能做到這一點，寬容就會到來，寬恕就會到來，那就沒有什麼是他不能忍受的了。

哈茲若·音那雅·康一開始來到西方國家分享他的生命哲學時，往往在他演講之後，會有聽眾前來質問他：「你講的話很有趣，很美麗，我也希望這個世界能被改變。但是像你這麼想的人有多少？你又能做什麼？」

當他的聽眾傳達這麼悲觀的訊息時，他會反問他：

只要有一個人攜帶感冒或流感來到這個國家，它就會開始散播。如果這些不好的東西都可以散播，難道那些關於愛、仁慈以及對於人類是善意的崇高思想，不會傳播嗎？你看著，有些細菌是更為精細的，那些善意的細菌，愛、仁慈和感覺的細菌，同仁之情的細菌；在靈性上發展的渴望，難道不會比你說的流感病毒更具傳播力嗎？假如我們都擁有樂觀的看法，假如每個人都做自己能做的那一點點，我們就可以一起達成許多事。

當我們以悲觀的雙眼看這個世界，一切都變得不可能，把路愈走愈窄。而擺脫

生命困境的唯一方法就是，提升自己的觀點，超越當前的處境。

如果我們等待別人善待我們，我們才能好；依賴別人對我們懺悔，才能不再受傷，那麼快樂永遠不會到來。然而，如果我們耐心接受一切發生的事，知道自己盡力而為就心滿意足；主動對別人好，但不要太在意別人怎麼回應我們，這就掌握了幸福的原則。

我們不能改變世界，但是我們能改變自己的觀點。

2/19

> To renounce what we cannot gain is not true renunciation; it is weakness.
>
> 捨棄我們得不到的東西並不是真正的捨棄,那是軟弱。

你聽過「酸蘋果的故事」吧?當蘋果高掛枝頭,一個人摘不到,他就說:「那蘋果是酸的,我不要。」這並不是「捨棄」的含義。其實是因為他得不到那個蘋果,所以說他不要。如果他真的費勁爬上樹木,而且摘了蘋果,切開來吃,然後說:「它很酸,我不要它。」這才算是捨棄。

一個人無法「捨棄」他尚未得到的東西。

很多人以為所謂的「追求靈性」就是放棄地位、頭銜、財富等等他本來就得不到的東西,這是對於靈性很大的誤解。

在人生不同階段,我們有想要追求的東西,這可能是成就、知識、財富、親密關係……,在追求的過程當中,你鍛鍊自己的意志和專注,精煉自己的技巧,這些其實也是靈性的練習。然而總有一天,你突然發現,對於那些曾經努力而獲得的東西,不再感興趣,你便可以放手。那是因為你已經成長,你超越了自己的追求。

放手的條件是,它必須是自願發生的,而不是被迫的。懂得放手的人,心無罣礙,並不懊悔。

若是因為意志不堅,能力不足,或不斷修改願望,而無法達成願望,導致必須撤退或放棄,這是「失去」而不是「放手」。

2/20

> The religion of each one is the attainment of his soul's desire; when he is on the path of that attainment he is religious; when he is off that path then he is irreligious, impious.
>
> 每個人的宗教都是去達成他靈魂的渴望。當他走在成就靈魂渴望的道路上，他就是虔誠的；若是他偏離這條道路，那他就不夠虔誠。

「宗教是由於人們靈魂的需求而誕生的。在人類進化的各個時期、各個階段，都存在著人們所信奉的宗教，因為每個時期都感受到了對宗教的需要。原因是人的靈魂有幾個深層的慾望，而這些慾望是透過宗教來滿足的。」哈茲若・音那雅・康如此看待宗教。

靈魂透過宗教來滿足什麼呢？主要是人們的不同理想：有時候是對於正義的理想；有時候是想要有值得信賴的對象；有時候是需要對比自己更崇高的對象敞開心，渴求被了解；有時候是想要獲得比人類完美的存在赦免，或是比人類更強大的存在保護⋯⋯。

所以說，神是人類理想的化身。對於人類各種不同的傾向，神都是解答。

因此，讓每個靈魂擁有他的宗教，根據他的進化程度，去追隨他的理想。

沒有最好的宗教，只有最適合的宗教。

每個靈魂所需要去達成的慾望，就是他的宗教；他的宗教也就是他的責任。

2/21

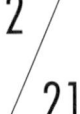

> The reformer comes to plough the ground; the prophet comes to sow the seed; and the priest comes to reap the harvest.
>
> 改革者來犁田；先知來播種；而祭司來收割。

如果沒有改革者先耕耘、整地、鬆開心靈的土壤，先知無法播種。

如果沒有先知以言語和行為來撥下種子，讓信仰著床發芽，心靈可能乾澀而貧瘠，或是雜蔓叢生，毫無方向。

當你所等待的訊息落入心田，就會一面往下扎根，一面往上伸展，讓自己被看見。最後，開花結果。這時候懂得你的人，就會前來採摘花果，分享給世界其他人。

所以，改革者、先知和祭司的角色，其實扮演著不同階段的功能。從心理學的角度來看，改革者是在清理情緒的垃圾和創傷；先知是協助心靈回到純淨的狀態，發展出信仰；而祭司是在心靈找到信仰之後，維持心的純淨和韌性，使得成長得以完成，展現出一個人該有的樣子。

2/22

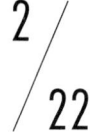

> Life is an opportunity given to satisfy the hunger and thirst of the soul.
>
> 生命是靈魂滿足飢渴的機會。

生命是一個機會。對於樂觀的人來說，生命是承諾，對於悲觀的人來說，生命是失落。

印度詩人卡比爾曾說：

> 生命是一片田地，你生來就是為了耕種它。如果你知道如何耕種這片田，你就可以生產任何你喜歡的東西。你生活所需的一切都可以在這個田地生產出來。你的靈魂所渴望的一切，和你所需要的一切，也都可以從這片田地獲得。如果你知道如何耕種它，以及如何採收它的果實。

重點在於，你想從生命獲得什麼？一開始，或許你會想要從生命獲得許多東西，讓自己更加舒適、富裕，擁有更多知識和權力。然而有一天，這些東西漸漸不能滿足你，因為靈魂不會因此而幸福。

靈魂的滿足來自於思想的寬闊，視野的提升，精神快樂，自由不羈，以及內在平靜。一旦你能藉由這片生命之田，栽植出這些，你就在人間達成了生命的目的，靈魂便不再飢渴。

2/23

> Truth alone can succeed; falsehood is a waste of time and loss of energy.
>
> 唯有真相可以帶來成功，虛假是浪費時間而且損失精力。

無論表面上看來多麼成功，虛假都有它的侷限和終點。虛假的人往前邁出的每一步，都會感受到虛假；特別是當他遇見了真相的時候，他邁向虛假的每一步，會愈來愈沉重。反而，那些邁向真相的人，會感覺腳步愈來愈輕盈。

每個靈魂都尋求真相。真相是人本身具備的神聖元素。一旦幻覺退散，真相就會被看見。真相一直都在，只是被幻象的烏雲遮蔽而已。

要如何穿透幻象的烏雲呢？一個人要改變自己的性格，讓自己活得愈來愈真實，愈來愈真誠，才可以驅散內在以及外在的烏雲。

反之，活在虛假之中的人，他的天空會烏雲密布，讓他看不清內在和外在世界的真相。

2 / 24

> Do not fear God, but consciously regard His pleasure and displeasure.
>
> 不要畏懼神／唯一存在，然而要覺察到祂的高興或不高興。

在蘇非哲學當中，神是一個連接有限的生命與無限的生命之橋梁。神代表的是神聖的理想：愛、美、和諧、慈悲……。因此，人要和神保持親密的關係，就像是和愛人一般。神不是高高在上，動不動就會懲罰人們的存在，而是在你自己和身邊的每個人身上，都能夠看見或體會的存在。

雖然，人所能呈現的方式，是受限的，因為我們本身就有侷限。但是，這並不妨礙我們感受到母親的保護、父親的慈愛，或是老師的啟發、朋友的情誼……；這些珍貴的情操，都是神性的表達。

每個人的身上都有著神性，每個人都是懷著神性而誕生的。

這就如同，心智會產生想法，想法的原物料是來自心智。然而心智並不等同於想法，想法滅了，心智還是存在。所以人是來自於神，雖然人並不等同於神，然而神性是每個人的原物料。只不過，大多數人未必能有這個覺察。

當我們能對於自己的言語、行為、思想保持覺知，隨時去調頻神性所渴望的表達，就會在世上創造更多的愛、美與和諧。而當我們傷害了別人或自己，我們的調頻走調了，我們也同時傷害了神，令祂不悅。

因此，我們不要以畏懼疏離的態度來敬拜神，而是以溫柔親密的態度來建立我們與神的關係。在這個態度之下，一切變得很單純。只要是和內在神性不對頻的事，都不要做；只要是符合愛、美、和諧、慈悲……這些原則的事，儘量去做就對了。

2 / 25

> He who has failed himself has failed all; he who has conquered himself has won all.
>
> 讓自己失望的人，也就讓所有的人失望；戰勝自己的人，就贏得了一切。

有一句波斯的詩句，是關於自我：「當我感到我終於可以和自己和平相處時，它已經準備好再次攻擊！」這就是我們的處境。

大多時候，我們會因為過去的弱點或缺憾，對自己不滿意的地方或失敗的事情，而感到沮喪，沉浸在懊悔與自責中。生命反覆在盤點自己的過錯與不完美，便無法往前走，這是因為調頻到錯誤的頻道了，所以能量受阻，好像唱片跳針，不斷播放同一首曲子。

我們真正需要戰勝的正是這樣的自己。應該忘記讓自己失望的過去，並從現在開始按照你所希望的方式去建構和塑造未來。

如果能夠駕馭自己，從過去走出來，重新調整自己的節奏和方向，讓自己的調頻校準自己內在的潛力和希望成為的樣子，就像是把收音機調頻到不一樣的電台，你才能前往你想要成就的一切。

2/26

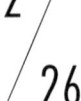

> As man rises above passion, so he begins to know what is love.
>
> 當人超越激情時,他就開始知道什麼是愛。

激情指的是人的慾望、被慾望所驅使的強烈情感。當我們很渴望某些東西,這可能是性愛、名聲、財富、權力,也可能是崇拜偶像,蒐集名牌包或限量車⋯⋯。

其實,激情和愛是同一種力量的不同表現。所以一個人不要墜入愛河(falling in love),而是要透過愛而昇華。你可以讓愛傾瀉而出,然而不要讓它弄濕你超然的外衣。

在此,哈茲若‧音那雅‧康提出非常有趣分辨:激情會淹沒一個人,被強烈的情感和慾望左右;然而,愛是能夠駕馭這個力量的表現,一個人要毫無保留地去愛,但也懂得超然的道理,「不要墜入」。激情相較於愛,是短暫而豐沛的情感狀態,可能帶來亂流的龍捲風。然而愛是更為無私的情感,因為無私,所以能夠超然。

愛的本質,並不是占有,而是豐沛的給予。

2 / 27

> Believe in God with childlike faith; for simplicity with intelligence is the sign of the Holy Ones.
>
> 以孩童般的信任，相信神／唯一存在，因為單純和智慧是聖者的標記。

孩子的信任是很單純的，他們的心不懷任何敵意，對每個人敞開，然而他們對許多事物並不理解。

當一個成年人在發展出理解力之後，若還能夠保有孩子的屬性：信任，單純，而且渴望對所有的人都友善，那他就是真正的心胸敞開。

能夠結合理解力和敞開的心，這是一個開悟者的特徵；這個人認識了神聖的真理，可以看穿事物的表象，而且依舊對生命懷抱單純的信任。這樣的人是備受祝福的。因為「信任」是最有價值，而且是最重要的精神要素，信任可以打開所有的門。

於是，這個人不僅擁有智慧，而且擁有正確的態度，能在各種情況之下，都逢凶化吉，創造出和諧。光是這一點，就足以讓他獲得人類生活的一切特權，因為，他已經在內心創造了天堂。

2 / 28

> He who can live up to his ideal is the king of life; he who cannot live up to it is life's slave.
>
> 能夠實現理想的人是生命的國王；辜負自己理想的人是生命的奴隸。

理想是什麼？就是一個人最崇高的精神追求，也是靈魂最深處的渴望。每個人在一生當中有許多小的目標，然而最後，這些小目標是為了抵達生命最終極的目的地——你的理想。

當一個人找到他認為值得付出的理想，他的生命就踏實了起來，好像船隻在大海有了燈塔，引領他前往。對於理想的堅定信仰，可以帶給一個人強大的力量，幫助他通過險阻的試煉以及考驗，累積出堅毅和自我紀律。

當一個人擁有自我控制的能力，他就能夠統整自己，讓內外合一，讓言行思想一致，充滿浩然正氣。他就是自我這個疆域的主宰，生命的國王。

然而，並不是每個人都擁有理想，更多人終其一生，不清楚自己的理想是什麼，只能受制於社會的期待、世俗的願想，隨波逐流，為了稍縱即逝的一切而奔波。

從來不曾發覺自己理想的人，會被外在諸多價值的影響綑綁而不自由。因為依賴別人的認可或掌聲而活，他就如同生命的奴隸。

2/29

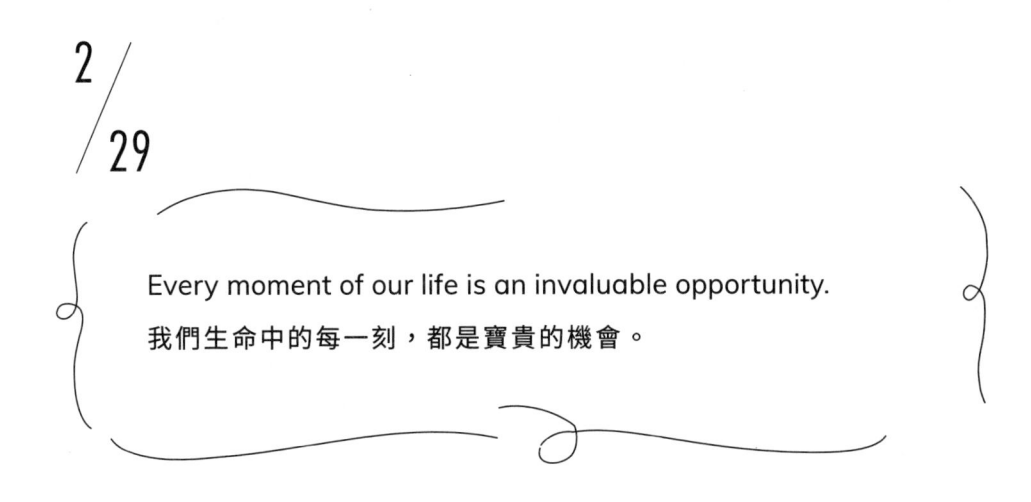

> Every moment of our life is an invaluable opportunity.
> 我們生命中的每一刻,都是寶貴的機會。

如果我們真正意識到,生命中的每一刻都是帶來祝福和益處的寶貴機會,我們會怎麼做呢?

就從呼吸開始,我們的每次吸氣,事實上都正在從宇宙當中接受訊息,每次吐氣也正在傳遞訊息給宇宙。你可以想像,你正在上傳給宇宙雲端的是怎樣的思想和情感?而你正在從它接收到的是怎樣的思想和情感?

當你意識到這一點,從此的每一刻,都成為獲得祝福和給予祝福的機會;每一刻都可能帶來心靈的啟迪,而你的態度才是關鍵。

隨著你自己的進化,你將愈來愈能體會到,當你無私的行善、溫柔對待他人、把慈悲注入乾渴的靈魂,給予眾生溫暖的陪伴……,你的每一刻都成了寶貴的實踐,讓世界變得更美好,讓你在人間的行走,步步開出蓮花。

MARCH

3/1

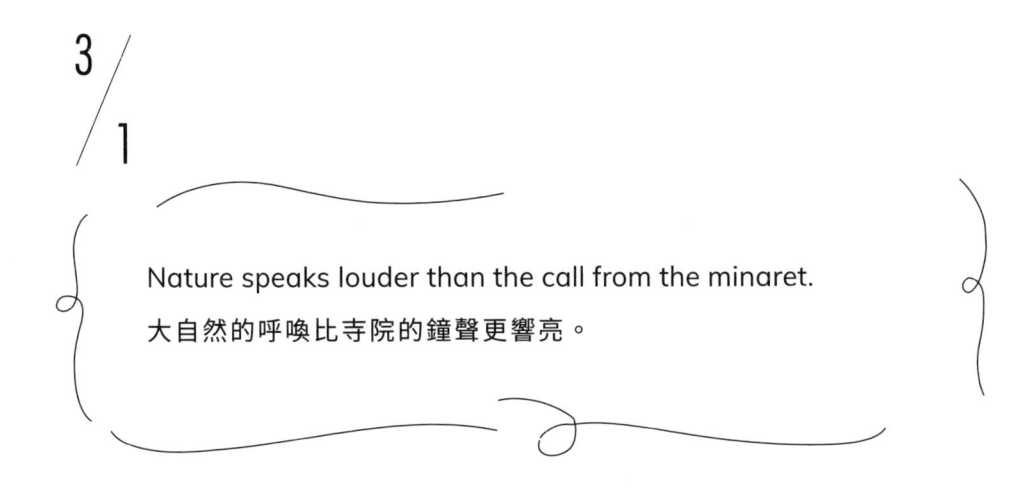

> Nature speaks louder than the call from the minaret.
> 大自然的呼喚比寺院的鐘聲更響亮。

學習分爲兩種。一種是透過閱讀其他思想家的著作，另外一種是透過閱讀生命。

哈茲若・音那雅・康認爲前者帶來的是各種知識，舉凡心理學、形上學、神祕學、哲學……；然而，如果學會以正確的方式閱讀生命，才能開展對於生命更深刻的了解和對於靈魂的體會。

如果一個人敞開同理心，開始閱讀生命。那麼不僅是人，就連萬物都會對他透露出它們的天性、格局以及祕密。使得「閱讀生命」成爲帶來光啟和開悟的途徑。

寺院的鐘聲，召喚人們前去祈禱和敬拜。然而，當一個人知道如何「閱讀生命」，他隨時都透過朝陽、碧月、天雨、鳥鳴與花香、四時節氣的氛圍獲得神聖的啟發。

3 / 2

> The priest gives a benediction from the church; the branches of the tree in bending give blessing from God.
>
> 神父給予教會的祝福；彎曲的樹枝給予神的祝福。

對於探索神祕主義的祕士而言，大自然是他的麵包和酒。大自然滋養他的靈魂，啟發他的靈感，提振他的精神，甚至庇護他，讓他獲得靈魂所渴求的孤獨。

只要是與生俱來、有祕士傾向的人，一般都會受大自然吸引。不由自主地想要走入森林，駐足山澗，徘徊海邊，與自然對話。對於祕士來說，會說話的不僅是人，在自然中的岩石、樹木、溪流、花草、風吹過樹梢、海浪拍打礁岩……，一切都正在跟他說話。他聆聽著自然的音樂，欣賞自然的壯麗與纖細之美，感到由衷的歡喜。

在自然之中，他看見了神／唯一存在的願景。神不再是抽象的概念，神成為看得見的存在。一切的美都是神聖的美，他對於美的熱愛，改變了他，擴展了他的內在空間，使得慈愛與寬容自然湧現。當這個熱愛繼續發展，逐漸占據他生命中的每一刻，使得他到處都會看見美好的事物：他在人的身上看見神的形象，在藝術和詩歌裡看見神的舞蹈，微風中搖曳的樹枝捎來神的訊息……。

神成為無所不在的存在，他隨時都可以碰觸祂，聆聽祂，看見祂。

3/3

> The soul brings its light from Heaven; the mind acquires its knowledge from earth. Therefore, when the soul believes readily, the mind may still doubt.
>
> 靈魂從天堂帶來光，心智從地球獲得知識。因此，當靈魂欣然相信時，心智可能依然會懷疑。

這裡說的是我們與生俱來的矛盾，每個人都秉持這兩種不同的認知系統，展開在地球的生命。

靈魂是來自永恆的神聖之光，這是它內在「智慧」的來源。當一個人知道如何往內探詢，他的內在之光會指引他記起靈魂原本就知道的真理。

然而，在另一方面，每個人是透過在這個地球上逐步成長的生命而學習的。我們的認知和邏輯，受到成長的環境、世界風潮、集體意識所影響。因此，當內在直覺告訴我們一些事情，指出某個方向的時候，頭腦的認知經常會有落差，甚至以懷疑的姿態駁斥直覺。

靈魂和心智都很重要。心智是現實生活的基礎導航系統，提供一般常識；靈魂是內在的導航系統，校準生命的目的。在某些事物上，理性和懷疑有它的位置，然而，如果讓心智來引導靈魂，我們會被恐懼和懷疑的烏雲籠罩。

只有讓心智為靈魂服務，接受靈魂的指引，一個人才會感受到心神安定。光會驅散恐懼和懷疑的烏雲，讓靈魂計畫的學習與任務得以完成。

3/4

> Those who throw dust at the sun, the dust falls in their own eyes.
>
> 那些向太陽拋出灰塵的人，灰塵會落入自己的眼中。

世間瑣細煩人的事多如恆河沙數，流言、暗語、是非長短……，但是這些事重要嗎？要花力氣去計較或爭辯嗎？

哈茲若・音那雅・康說：「去探究無關緊要的事，就像是揚起地上的灰塵。」你只會讓自己的眼睛不舒服。倒不如在地上撒些水，讓塵埃落定，躺在你腳下。

遭逢事端，一個人可以選擇，隨著它起舞，把灰塵揚起，立馬採取行動，捍衛或逃跑；也可以選擇先暫停，判斷值不值得跟這些事情糾纏？要不要耗損自己的能量去追究？這就如同先在地上撒水，不急於行動，待灰塵不再張揚，而你能看清楚事件的緣由。

許多時候，這些瑣碎的事端沒有了相應的能量，就自然止息。不必擴大事端，令它們屏蔽你的陽光、玷汙你的心情。可以的話，把它們的影響力縮限到最小，踩在腳底。

3/5

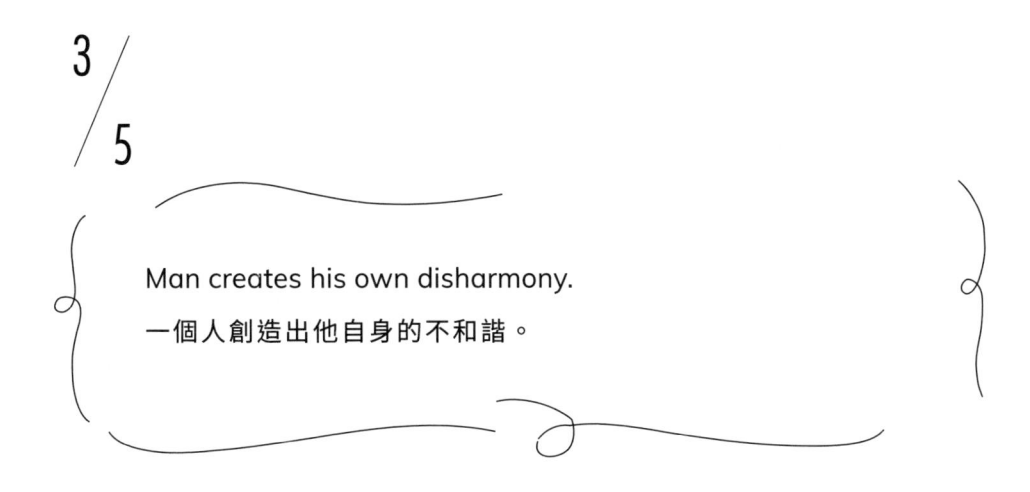

> Man creates his own disharmony.
> 一個人創造出他自身的不和諧。

一個人內在真正的本質是善與美，是和諧與愛，這是每個人的靈魂所繼承而來的神性。

然而，從誕生在地球上開始，我們的成長過程當中，這個神性逐漸被遮蔽，創傷的經歷、錯誤的觀點、過於膨脹或縮小的自我……，這些都令我們看不清楚真正的自己。一旦一個人開始發展出自我的傲慢、嫉妒、自私、欺瞞、輕蔑、自慚……，他就會產生內在的不和諧。因為這些情感其實是幻覺，與他的本來面目有所衝突。他內在有個戰場，他卻不自知。

當這些幻覺變得愈來愈真實，會導致一個人的內在音樂開始荒腔走板。他的自我占了上風，主宰他的想法和行動，而靈魂的美好本性則被壓抑並且被遺忘。

不和諧的內在，會帶來無止盡的痛苦，並且，這個內在衝突會擴延至外在世界，帶給他人痛苦。如果一個人對於自己的內在衝突毫無所覺，他甚至會不斷埋怨自己的處境，指責別人對他所作所為或命運的不公平等等。

然而，帶來痛苦的源頭，永遠是自我。是自我的內在不和諧，導致了一個人觀看世界濾鏡，經歷事件的方式，產生了偏差和扭曲。

只有當一個人負起責任，先覺察內在的不和諧，才能停止創造出不和諧的外境，開始改變自己的命運。

3 / 6

> The real abode of God is in the heart of man; when it is frozen with bitterness or hatred, the doors of the shrine are closed, the light is hidden.
>
> 神／唯一存在的真正居所是在人的心裡。當它被苦澀或仇恨凍結時，神殿的大門關閉，光明被隱藏。

生命中，有些事物會開啟心門，而有些事物則會關閉心門。

讓心門開啟的是：愛、包容和寬恕；讓心門關閉的則是：冷漠、苦澀、惡意、偏見、輕蔑以及強烈的二元對立。

人的靈魂是源自神靈；人的心，則是靈魂駐紮的地方，因此可以說，心是神靈的居所。當心關閉了，靈魂之光也就被遮掩，而神性就像是被埋進墳墓，不見天日。

一個人終其一生的工作，就是在自己的「神殿」上挖掘，一直挖，直到你觸及心最底層的泉水，讓你的本質湧現，讓你的神性有表達的空間。

3 / 7

> It is a false love that does not uproot man's claim of 'I'; the first and last lesson of love is 'I am not.'
>
> 一個人若不能根除對於「我」的執著，他的愛只是虛假的愛。
> 關於愛的第一課和最後一課是：「我，不是。」

對於自我（小我）的了解，是很重要的覺察。要談論「放下」小我之前，首先要覺察自己的小我為何：「我想要」、「我需要」、「我喜歡」什麼？了解之後才能「放下」。

放下我執，是不能勉強的事，一個人已經準備好的時候，會自然而然發生。

當一個人的心打開了，想要去實踐愛，不再以自我為中心，而是以你所愛的對象為優先考量。這時候，「我執」可以放下，個人的偏好可以犧牲，因為愛，讓你自然想要為了你所愛的對象這麼做，不管那對象是一個理想、一個人，或一個團體。

真正的愛，會邀請一個人超越自我的侷限，掙脫小我的自私自利，開拓出不同的格局。

3/8

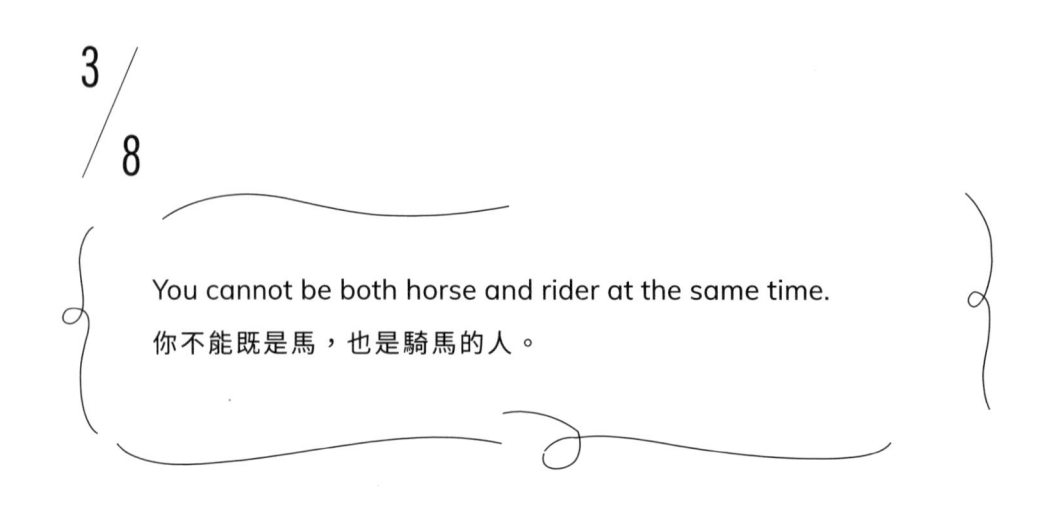

> You cannot be both horse and rider at the same time.
> 你不能既是馬，也是騎馬的人。

人一生當中最大的悲劇在於，我們被自己錯誤的認同誤導。

我們認同的往往是我們所能看見的東西。我們宣稱：這是我的眼睛，這是我的鼻子，這是我的跑車，這是我的房子……。我們果真誤以為「我」是這些我們所擁有的東西構成的。

然而，卽便是這個身體，也是我們借來的，當我們在地球上的生命終止的那一天，我們的身體就必須歸還給地球。而我們花了畢生的力氣，所積累的一切，都是稍縱卽逝的「東西」。

直到有一天，我們對於這個眞相覺醒，重新思索「我是誰」，才有機會碰觸到內在另一個我，另一個生命：那個永恆的，無限的存在；他一直以來都存在，未來也將繼續存在。他的生命旣不曾開始，也沒有結束。

這個覺醒會讓我們眞正活著，以不同的「自我認同」重新認識自己，對更加完整的生命敞開。

當你的生命正在往前奔馳，你所認同的是這匹正在奔馳的馬，或是正在騎著馬，手中握著韁繩的騎士？

你不可能兩者都是。你的認同決定了你生命的格局和方向。

> It is more important to know the truth about one's self than to try to find out the truth of heaven and hell.
>
> 了解關於自己的真相，比起試圖尋求天堂和地獄的真相更為重要。

一個人畢生最重要的追尋，是透過各種方式來了解自己。如果不了解自己的真相，就求神問佛，那麼他也不可能與神佛建立深刻的關係。只有透過自我的覺醒，才能夠進一步建立和神佛的關係。因此，認識自己，比起談論六道輪迴，或天堂與地獄的知識都更為重要。

真理簡單，也浩瀚無邊。真理不可言說，它是所有智慧的本質。

每個人都只能依據自己當前的進化，來觸及真理。一個人的進化會呈現在他對於真理的詮釋和能見度。

世道險惡，是真的；人的情感最深處都是相連的，是真的；人與神的精神本是合一，也是真的。我們所能見到的部分，就是我們此刻的真理。想要看見更清晰透徹的真理，我們的生活態度也必然要清晰透徹。如此，才能夠內外雙修，表裡合一，讓自己真實的本質呈現出來。

每個人都可以問自己一個根本的問題：「我是什麼？」

我是我的身體嗎？是正在思考的頭腦嗎？是受苦的情感嗎？是渴望自由不拘的人？還是想挑戰極限的這個人？或是哪裡都不想去，只想要宅在家，舒適過日子的人？

你會發現每個人的答案都不同。而隨著個人的成長，答案也會演變。

當「虛假的自我」逐層剝落，一個人的真相，會日漸清晰。就如同烏雲散開後的天空，可以明心見性。

3 / 10

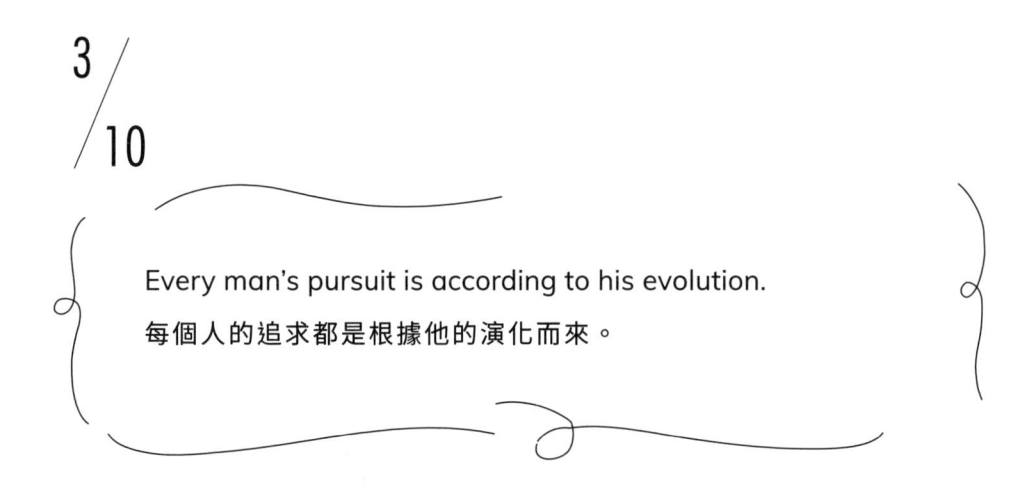

> Every man's pursuit is according to his evolution.
> 每個人的追求都是根據他的演化而來。

每個人都會根據他靈魂的渴求，踏上追尋之路。那可能是財富、知識、或是愛情……，無論是什麼，那就是他目前感到不滿足的部分，他想要追求的東西。

一個人所選擇的是什麼途徑，那就是他的道路。

有時候他需要繞一大圈，有時候他迅速通關，有時候他似乎誤入歧途，必須重新選擇，然而這都是選擇所經歷的過程。我們無法去指導別人該走什麼路，或是把他人拉過來走自己認爲更好的路。

你認爲不重要的，可能對於現階段的他很重要。而他不認爲重要的東西，可能是你靈魂的珍寶。

對於別人選擇的途徑，我們只能包容、諒解，不要批判或詆毀。讓每個人依據自己的演化，去追尋他想要圓滿的東西。

3 / 11

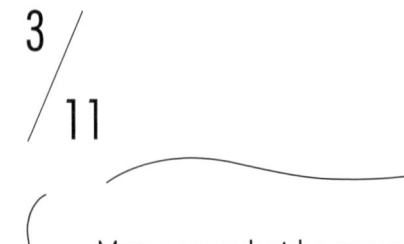

> Man sees what he sees; beyond it he cannot see.
> 人只能看見他感官的濾鏡所要看見的,他看不到除此之外的東西。

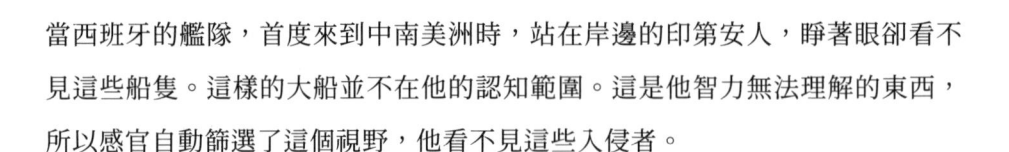

當西班牙的艦隊,首度來到中南美洲時,站在岸邊的印第安人,睜著眼卻看不見這些船隻。這樣的大船並不在他的認知範圍。這是他智力無法理解的東西,所以感官自動篩選了這個視野,他看不見這些入侵者。

人類的感官所能感知的世界,受制於一個人的理解力,而理解力被許多東西制約。

當你遇見一個藝術家,如果一開始你並不知道他是個藝術家,你所見到的就只是他凡人的那一部分。然而,如果你知道了他是個藝術家,甚至看過他的作品,那麼,你的感知會打開,你所見到的關於他的一切都會不同。

他的言行,舉手投足,穿衣品味,對你而言就會像是個藝術家,他的藝術家部分對你而言會更顯而易見。

為了不要受限於感官所見,為了超越被制約的認知和理解,一個人要更加謙卑,透過冥想與沉思,來發展出另外一種「知見」的能力,讓我們對於凡事和萬物,都能夠看得更加透徹,不僅是看到平凡的那一面,也看到不凡的那一面;不僅是看到每個人的侷限,也看到每個人神性的光輝和無限潛能。

3/12

> The source of truth is within man; he himself is the object of his realisation.
>
> 真理的源頭就在人之內。他本身就是他領悟／了解的對象。

我們可以從外在世界學習到各種不同的知識和技能。然而，真理的源頭是在內心之中。只有往內探索，才能明白真理。只不過，大多數人總是往外「求道」，以為真理是一門知識，而追尋真理，就是往外披荊斬棘。

一個人會跟自己奮戰，跟別人鬥爭，跟生命角力，最後，他發現踏上旅程本就是他的宿命。而他所追尋的真理，自始至終就是自己的本質，透過這個追尋的過程，他克服萬難，所抵達的終點也是他的起點。

只有當一個人意識到他內在生命的狀態，他才開始全然活著，而不僅僅是被捲入外在的情況，奔波勞碌。這個覺悟，會帶給一個人靈魂的智慧，以及看待生命全新的觀點。這個發現也將讓他獲得真正的滿足和平靜。

哈茲若‧音那雅‧康說：「天堂不是一個國家或一個大陸；它是一種狀態，一種內在的狀態，只有當節奏處於完美的運作狀態時，才能體驗天堂。」

一個人如果明白這個簡單的道理，就知道尋求真理，尋找幸福和滿足，所要前往的方向是往內的旅程，因為真理與自己內在的狀態重疊，沒有什麼人可以給你你所渴求的幸福，只有自己才能夠創造天堂。

3 / 13

> As life unfolds itself to man, the first lesson he learns is humility.
>
> 當生命向一個人展開時,他所學到的第一課就是謙卑。

當一個人看見神／唯一存在的浩瀚無垠,呼吸著孕育一切生命的生命,知道有一個更偉大的力量正在推動生命演化⋯⋯,這一切,會令他愈來愈意識到自己的侷限。因此,他感到謙卑。

只有當一個人感到謙卑,他才會心悅誠服對神聖的意志敞開心,接納生命不可預期的安排與挑戰,並且篤定地說:「讓你的意志得以行使,而非我的意志。」

這樣的謙卑,不是軟弱,不是退卻,而是靈性的進級;藉由把自己的調頻校準神聖的意志,來脫離自我的侷限。直到有朝一日,他所看見的願景和神／唯一存在的願景是一致的。這是合一精神的最高體會。

這個態度會幫助他透過所有的遭遇和經驗,來學習生命的奧祕。

3 / 14

> God is truth, and truth is God.
> 神／唯一存在是真理，真理是神／唯一存在。

在蘇非哲學當中，神並非一個外在於自身的存在，神性是人與生俱來的本質。然而，要讓神性能夠在人自身顯現，一個人需要先覺知自己的心，依心而活。一個人究竟能在自身實現多少神性，取決於他的心能夠覺悟的程度。

而真理是什麼呢？哈茲若・音那雅・康說：「真理就是淨化的效果，真理令人喜愛，能帶給人平靜。」

但是，「什麼是真理？」真理是不可言說的。人無法「獲得」真理，只能在追尋的過程中，逐步「發現」真理。因為，真理存在於人的內心深處；如同神性是必須透過內心覺醒，才有機會顯露。

誰能夠描繪神呢？人的詞彙、理解力和智慧是如此侷限，沒有人能夠真正描繪全知、全能、無所不在的神；一如「真理無法言說」。

在這位蘇非大師看來，真理和神是同一件事，所有我們在神／唯一存在之中，所尋求的光、生命、力量、喜悅和和平，全都在真理之中。因為，這些，也就是神性的本質。這也就是為什麼他說：「覺知真理，也就了解神，而覺知神，也就了解真理。」

3 / 15

> Until man loses himself in the vision of God, he cannot be said to live really.
>
> 除非人在神的願景當中忘卻自己，否則他無法宣稱他真正活著。

當一個人活在一個以自我為中心的世界，他會到處都先看見自己：自己的故事、意見、需求，自己的慾望、偏好、行事曆……。因此，生活如同鏡花水月，似乎在不斷變化卻又重複的情節之中。

除非一個人開始對內在的神性覺醒，看見生命的真相，否則無法宣稱自己是真正活著。

覺醒的人，就彷彿踏上另一個世界，展開一個嶄新的生命。

他改變了調頻，就如同一個人更換了聆聽的電台頻道，播放的節目不同，而他所吸引而來的事物也立即不同。神聖的引導很容易切入他的意識，與他交流，提醒他注意事項，敦促他做某些選擇。他與神之間的頻道精準連線，隨時播放訊息。

生命的奧祕為他展開特殊的航線，他被賦予的任務，形成他向前推進的動力。

在這種覺醒的自然狀態之下，自我不再會是中心。一個人不再那麼輕易地受到外在世界的影響，他人的認同擦身而過。因此，他經常能夠返回內在深刻的寧靜、喜悅和滿足。

3/16

> At every step of evolution, man's realization of God changes.
> 在進化過程中跨出的每一步,都正在改變一個人對於神／唯一存在的理解。

心智的天性是追尋,是移動,是變化。

一個人對於神——一個更崇高的力量的理解,會隨著一個人的心理成熟和靈性的開展而改變。

榮格認為,當一個人在個體化的過程中,整合自我所有的對立面:善與惡、陰性與陽性、意識與無意識……,不再被二元對立的世界觀侷限,那麼,他對於神的認知,相對之下,會更加全面而完整。

哈茲若‧音那雅‧康認為人與神的距離是測量靈性進化的標的。一開始,神是以擬人化的方式出現。神是外在的神,與人是分離的,是賞罰分明的神,是權威和主宰。

然而,隨著一個人的靈性擴展,他與神的距離縮短了。他更加靠近神,到處感覺到祂的臨在,乃至於神成了親密愛人,是人可以深刻溝通和思想交流的對象。

到了最後階段,一個人在往內的旅程當中探索自我。他在自己深處發現神,原來,神就是自己存在當中神聖的本質,和自己沒有任何距離。這就是眾人所憧憬的「合一」。

「既然我們是透過自己,以及經由自己去認識祂(神),我們就將歸屬於我們自己的屬性,都歸於祂。」——波斯詩人／哲學家,穆以丁・伊本・阿拉比(注),以這詩句,為這個階段對於神的理解,做了完美的總結。

注 | Muhyi ad-Din Ibn 'Arabi,公元 1165–1240 年

3 / 17

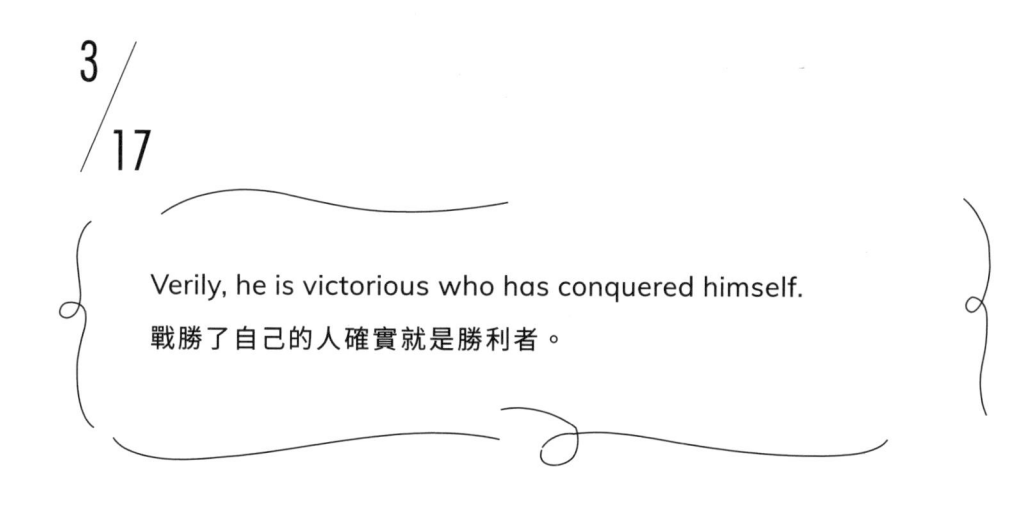

> Verily, he is victorious who has conquered himself.
> 戰勝了自己的人確實就是勝利者。

哈茲若·音那雅·康說:「靈魂是天堂之鳥,是天空中自由的居民。祂的第一個監獄是思想,然後是身體。在這兩者之中,它不僅受到限制,而且成為俘虜。蘇非派終生致力於將靈魂從這樣的束縛中解放出來,他透過征服思想和身體來做到這一點。」

人一生中最大的敵人是自己。

人被自身的弱點和無知屏蔽,讓靈魂的美好與美德被隱藏在自身之中,難以顯現。而且人們被錯誤的認同誤導,被虛假的自我框限,不認識自己靈魂的屬性與本質。

當我們都無法聆聽自己內在的聲音,又如何希望別人聆聽我們?

只有當我們培養足夠的精神力量,透過冥想、沉思,持續的精神練習,學會控制思想和身體,學會聆聽自己,我們才有機會掙脫自我的束縛,打開牢籠,讓靈魂重返天空,展翅飛翔。

3 / 18

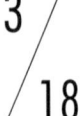

> Prayer is the greatest virtue, the only way of being free from all sin.
>
> 祈禱是最大的美德,是釋放一切罪惡的唯一途徑。

穆罕默德給予信徒的指示是:一天要祈禱五次。哈茲若‧音那雅‧康則推崇大家把祈禱當作最重要的靈性練習。

什麼是祈禱? 我們為什麼要祈禱?祈禱令一個人持續地親近神,在唯一存在面前,謙卑俯首;祈求神聖的指引和寬恕。

首先,它讓一個人心存感謝,無論你是感謝主,感謝菩薩,或是濕婆……。不管你感謝的神怎麼稱呼,這份感激之情,會讓一個人意識到自己每天所接受的祝福和禮物。

其次,在祈禱中,一個人把自己的缺失和限制攤開來,深刻反省,祈求赦免和改進。這樣的祈禱,帶來強大的淨化力量,使一個人打開心房,讓仁慈的神進駐。把自己尚無法寬恕的一切,都交託給神╱唯一存在,請求祂協助。你心裡的重擔,所有的懊悔、憤怒或糾纏不清的一切,都得以在祈禱中梳理和放下。

因此,虔誠的祈禱,所帶來的喜悅和療癒是無與倫比的。

祈禱將靈魂從俗世提升到天堂。每次的祈禱,都是再度與神的對話,把自己的頻道重新調頻到內在的神性,校準到愛、美與和諧的場域。

3 / 19

> It is the sincere devotee who knows best how to humble himself before God.
>
> 真誠的信徒，知道如何在神的面前謙卑自己。

在宗教儀式中，人們對於敬拜的神祇低頭、跪拜，然而，許多人只是因爲責任，或是社會習俗而這麼做，心中缺乏謙卑敬畏。如此，敬拜並沒有眞正的意義。

眞正的虔誠，始於承認自我的缺失和侷限。於是當一個人對神致敬，其實也是對於心中完美的理想、無私的意識致敬。當他祈求赦免自己的不完美和過錯，渴望更大的智慧指引迷津，這樣的態度和敬畏的精神，讓宇宙的恩典湧入一個人的內心。

因爲謙卑而臣服，心存敬畏而感恩，使得一個人暫時解脫了自我的綑縛，拆除了人與唯一存在之間阻隔的牆。一個人透過這樣的意願，融入了神聖的臨在，使得自身的神性也因此受到滋養而長出力量。這個奧祕的催生，是驕傲的自我永遠無法領會的。

3 / 20

> It is wise to see all things, and yet to turn our eyes from all that should be overlooked.
>
> 真正明智的做法是：看到一切的事情，但把目光從那些應該被忽略的事情上移開。

喜歡吹毛求疵的人，最大的缺點就是，他傾向於在看見的所有事物上，都找到「錯誤」。他的頭腦塞滿批判的聲音。有些人甚至會投入許多時間，去揭發別人的錯；我們身邊就有一些「檢舉達人」、「校對達人」……。

如果，這樣的人無法立即釋放他所接收到的、令他討厭的印象，那麼，他就會在適當的時候，開始在生活中，複製出他所接收到的印象；因為它們已經烙印在他的心，對他造成傷害。

這也就是為什麼，音那雅·康強調，聰明的人要練習「忽略」：對於你所不喜歡的事情，或是對你造成汙穢或傷害的事物，盡可能的「忽略」，不要計較，不要任由它們在你心中留下印象。如此一來，它們就只能是飄過的烏雲，不會對你產生太大影響。

「忽視」和「忽略」不同。「忽視」大多時候是根本沒看見。而「忽略」則是視而不見，是看見但不去注意，是被傷害或被擾動但不介意。能夠「忽略」，意味著靈魂是可以調頻到更高的意識，寬容為懷，看見的同時就直接略過，不再糾纏。

「忽略」（overlook）這個詞在英文當中的另一個意思是「俯瞰」。一個人要能夠讓自己的高度提升，才有辦法去「俯瞰」原本的事物；如果一個人還在某件事物的影響之下，他很難「俯瞰」或「忽略」。

「忽略」是一種處事態度，也是優雅的側身，略過所有不良的印象，保持自己的純淨。

3 / 21

> Our soul is blessed with the impression of the glory of God whenever our lips praise Him.
>
> 每當我們張開嘴唇，讚美神／唯一存在，我們的靈魂也就烙印了神榮耀的印記，並且因此而接受祝福。

靈魂的烙印攜帶著強大的願力。如果我們讓恐懼、嫉妒、怨恨烙印在靈魂的溝槽，那麼這就是它會反覆播放的情境。然而，若我們日復一日，給與靈魂的是讚美、感激，是寬容、喜悅，那麼這也是它會持續創造的主題。

這句每日「靈感」，涵融神祕主義的核心，更是許多宗教得以繁衍的道理。

哈茲若・音那雅・康說：

> 如果一個人問神，祂創造出這些存在（人），是為了讓他們唱出讚美祂的詩歌嗎？神的回答會是，並非神希望要接收到這些讚美。讚美是神給予人的處方，為了要讓人更加理解神，接近神。換句話說，透過讚美神，人們得以完成他靈魂來到地球的使命，所需要付諸的行動。

所以，讚美神其實是為了人，不是為了神。這句話，顛覆了傳統的宗教思想。

當我們沉浸在讚美的祈禱，祈求神聖的指引，這個練習有如煉金術，正在復刻我們的靈魂溝槽，讓自己日漸親近神。直到有一天，你發現你的靈魂之光所反射的就是神聖之光，而你所讚美神的一切：恩典、榮耀、智慧、和平與喜悅，就是你的自身的本質。

3 / 22

> There is one Teacher, God Himself; we are all His pupils.
> 實際上只有一位老師，就是神／唯一存在本身。我們都是祂的學生。

真正的靈性導師，知道他無法幫助前來尋求真理的學生，他頂多就是分享自己學習的經驗和走過的路徑，供學生參考，至於學生是否能夠領會，領會多少？甚至是對牛彈琴，毫無感應，這都是導師無法預期，而必須放下的事。

所謂的大師，其實都是很會當「學生」的人。他們懂得向各種人學習：聰明的、愚笨的、老人、小孩、敵人、朋友……。莊子更幽默，當東郭子問莊子：「所謂道，惡乎在？」莊子說：「無所不在。」當東郭子嫌棄地說：「這麼低下？」莊子繼續往下說：「道在螻蟻、稊稗、瓦甓、屎溺之中」。意思是，在生活中，最卑微渺小的事物之中，譬如，螻蟻、小草、磚瓦、屎尿之中，也可以觀看事物的道理。

但到底可以看出什麼名堂？只有觀看的人自己知道。沒有人可以告訴另一個人，道理會怎麼對你顯示？如何觸動你？我們把牛拉到河邊，要不要喝水，渴不渴，接下來是牛自身的體會和行動。你不能替牛喝水。

生活的大化自然會教導他的學生，存在中的萬物自有它學習的方式和時機。

3 / 23

> All earthly knowledge is as a cloud covering the sun.
> 世間的一切知識，如同烏雲，遮蔽了陽光。

雖然世俗的知識，對於協助我們遊走於物質世界、了解遊戲規則，以及解決實際問題有其價值，但它是不足夠的。我們還需要靈性的知識。

了解自身神聖的本質，認識萬物的起源，知道人生的使命……，如果能明白這些道理，一個人才會感到踏實，靈魂可以安身立命於世。

不論你花了多少時間學習，累積了多少資料，世俗的知識，所能夠給予的終究是表象的知識；就算你熟記了整部的百科全書，你未必了解自己的渴求和疑惑。

甚至，當人緊抓著世間的一切知識，他會陷入執著，陷入思辨、邏輯、實證的陷阱，導致內在的智慧被遮掩，直覺無法發揮力量。

我們的自性之中，所具有的深刻智慧和靈性，就如陽光那麼耀眼。而五花八門的世俗知識相較之下是短暫而淺薄，是飄移不定的烏雲。烏雲固然會暫時遮蔽陽光，然而陽光一直在那裡，等著破雲而出。

3 / 24

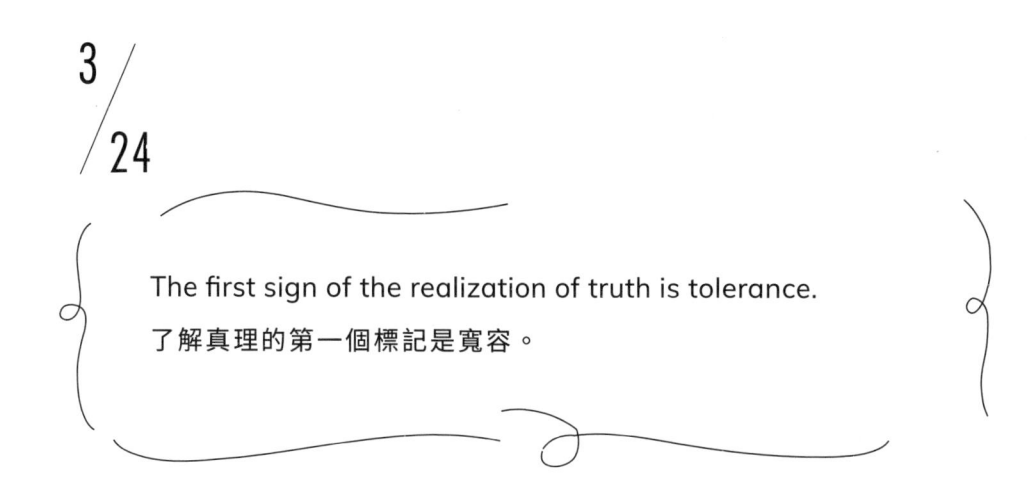

> The first sign of the realization of truth is tolerance.
> 了解真理的第一個標記是寬容。

當一個靈魂開始自我探索，覺察自己的天性，他便自然而然會變得更加寬容；這並非由於遵守外在的道德教條或守則，而是發自內心，對於世界、對於存在的了解，使得他由內而外，產生這樣的轉變。

隨著靈魂的進化，一個人對於自己，以及其他存在的理解轉變了，他的寬容也愈加地寬廣。這會讓他忍受先前所不樂意忍受的；忽略他之前傾向於執著的；容忍他從前不習慣去容忍的；寬恕並遺忘他緊抓不放的那一切。

當一個人選擇這麼做，那是因為他想要維護的不再是自我的價值或自尊，而是和諧。為了維護周遭的和諧，他付出的代價是自己的習性和傾向，然而，他因此獲得了幸福。

因為幸福的祕密就在於和諧，而能夠帶來和諧的是寬容。

寬容和自己意見不同的人，容忍奇裝異服和特異行為，尊重他人的意見，就算你並不同意他所表達……。

只有當一個人體會到，在看似不同的外表之下，有個共通的情感和精神貫穿一切存在，你和他人並不是真正分離的。頓悟了這個真理，寬容便不必掙扎，自然會出現。

3 / 25

> He who is filled with the knowledge of names and forms has no capacity for the knowledge of God.
>
> 當一個人把自己塞滿了各種名稱和表象的知識，他就不再有任何空間，可以容納神的知識。

我們可以從孩童來觀察一個人的學習過程。當孩子第一次遇見一朵玫瑰，那時候他不知道它的名稱，也不認識它應該要有的「樣子」，甚至不知道這是「一朵花」。那個相遇，孩子全然的臨在，享受這朵玫瑰的全部：它的香氣、色澤、柔軟與甜蜜，甚至好奇它的刺和葉；他以自己全部的覺知與這朵花在一起。

日後，孩童透過書本或大人口中，得知這朵花叫做「玫瑰」，學會它的科屬種，這個名字和相關知識，阻隔了他繼續了解這朵花，他以為他已經「認識」玫瑰。因為他現在知道它的名字，它的長相與類別。當他再度遇見玫瑰，他會說，我今天看見一朵玫瑰。就這樣，一切事物一旦被名字和形式界定，就成了知識，這些知識是短暫而且多變的。很多時候，物質世界所謂的知識，阻隔我們全然感受存在本身所具有的靈魂和精神。

而「神的知識」，想要傳遞給人的是另一種觀看萬物的角度，另一種感受生命的體會。這是靈魂真正渴求的，能夠提升自己、滿足自己的知識。想要獲得這部分的知識，一個人需要先承認自己的無知，才能接受奧祕的智慧指引，回到孩童般的純真，去體會生命中的一切相遇。

一個人如果懷著「知識障」，他的心已滿溢，裝不下關於靈性的知識，內在的直覺也難以被啟迪。

3/26

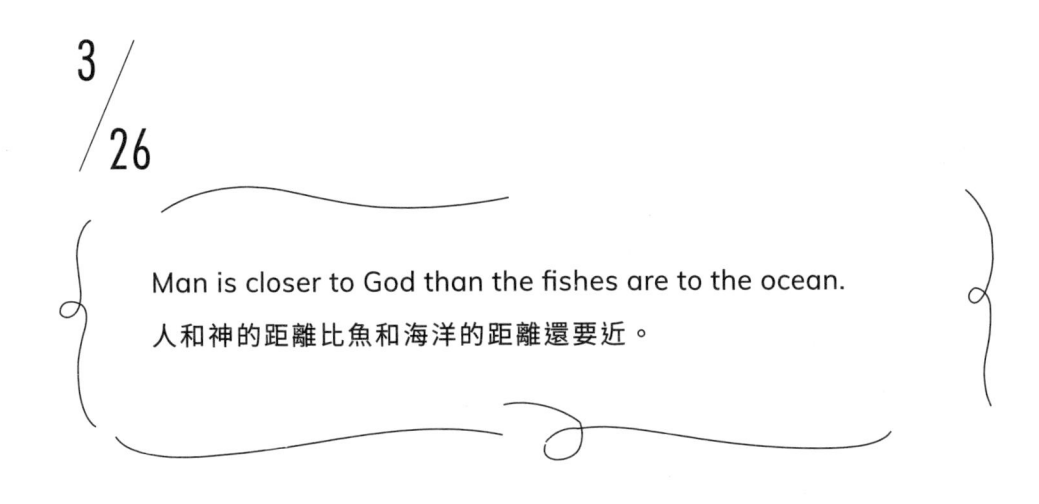

> Man is closer to God than the fishes are to the ocean.
> 人和神的距離比魚和海洋的距離還要近。

音那雅幼時在房子的屋頂上祈禱，他心想，他對神所做的禱告尚未得到答覆，他不知道神會在哪裡聽到他的祈禱，他無法甘願地繼續向他不認識的神禱告。

他無所畏懼地去到父親面前說：「我想我不會再繼續祈禱了，因為這不符合我的理智。我不知道如何才能繼續向一個我不認識的神祈禱。」他的父親聽了大吃一驚，但並沒有生氣，他不願在不能滿足音那雅的理智的情況下，把信仰強加於他，那反而使他的信仰敗壞。父親很高興看到，雖然這孩子這麼說是對神不敬，但那是坦率的。他知道這個小伙子確實渴望真理，現在已經準備好學習許多人一生都無法學到的東西。

父親對他說：「神在你裡面，你也在神裡面。有如氣泡在海洋中，氣泡是海洋的一部分，但又與海洋沒有分離。它暫時呈現為泡沫，然後又會回到它原來的狀態。人與神的關係也是如此。先知說過，神比你的頸靜脈更接近你，這實際上意味著你自己的身體比神離你更遠。如果正確地解釋這一點，它意思是，神就是你自身存在的最深處。」這一刻對音那雅來說是偉大的啟蒙，彷彿一個開關在他身上打開了。

從那一刻起，他的一生都在忙碌，他的整個存在都致力於在生活中見證他在那一刻，所知道和相信的，這個偉大的真理。

當一個人在自己的靈魂中找到和諧，他就找到了與神交流的途徑。

Bowl of Saki

3/27

> We start our lives trying to be teachers; it is very hard to learn to be a pupil.
>
> 我們的人生始於嘗試成為教師；學習成為一名學生對我們是非常困難的。

大多數的人好為人師，傾向於要當老師的人，遠比想要當學生的人多得多。許多人一生當中最大的困難在於，他已經是老師，於是無法虛心求教，難以再回到學生的身分。「老師」的身分阻擋了他學習的可能。

我們忘了，「在人類史上，所有偉大的導師，例如耶穌、佛陀、穆罕默德和查拉圖斯特拉，都是偉大的學生。」音那雅‧康說，「他們從天真的孩子，從每個來到他們面前的人學習，從造化帶給他們的處境和情況中學習。因為，他們已經了悟一個道理：『使一個人成為一個教師的是不斷學習的渴望，而不是成為一名教師的渴望。』」

在神／唯一存在的面前，我們永遠是學生，祂是唯一的教師。我們的一生中，唯一能做的就是讓自己成為真正的學生，不斷地從生命中學習。

3 / 28

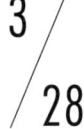

> Until the heart is empty, it cannot receive the knowledge of God.
>
> 除非一個人把心淨空，否則他無法接受神／唯一存在的知識。

如果一個人帶著他已有的知識，去尋找老師學習，那個老師很難把任何東西教給他，因為他沒有空間可以裝下新的東西。既定觀念、既成事實，都會阻礙他獲得新知。我們很容易成為一個學問淵博的人，然而，要把已經積累的知識忘記，重新學習，則需要莫大的覺醒和決心。

在所有蘇非的靈性教導中，最難達成的應該就是「忘卻自我，成為無我」的境界，也就是佛教所說的「放下我執」。蘇非認為這是靈性修為的最高境界，能讓一個人充滿法喜。

把心淨空，就如同你把自己緊握的酒杯倒光，讓神聖的知識可以重新傾注你的酒杯。這樣的酒是永恆的酒，世間沒有其他的酒，可以如此令人迷醉。

當心淨空了，意味著小我不再能掌控，慾望不再瞬息萬變，於是臣服變得很自然。只要自我臣服，人就能夠虛心學習，接受神／唯一存在所要給予的指引，宇宙所要傳遞的知識。這時候，心便可以感知宇宙的振動，巧妙的共時性也會經常出現。

3 / 29

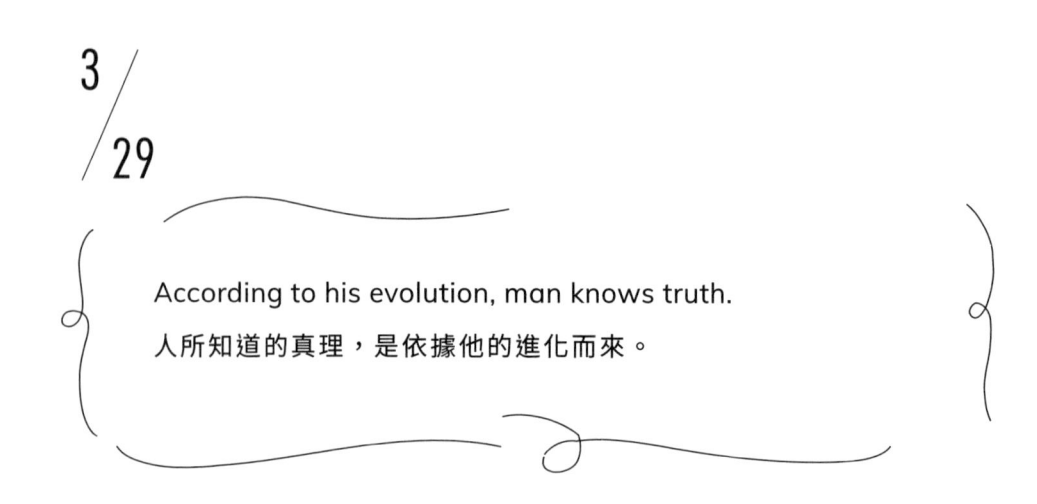

> According to his evolution, man knows truth.
> 人所知道的真理，是依據他的進化而來。

當我們是嬰兒，牛奶是我們最渴求的食物，而其他的食物都是給大人的。我們小時候搜集的芭比娃娃，或少年時期蒐藏的扭蛋，過了那個年紀，我們就失去興趣，甚至記不得自己以前為何對那個東西如此著迷。

因此，一個人的慾望，會隨著他的成長而改變。而且每個人在不同階段所渴求的，未必相同。所以，不要把自身的慾望強加於他人。每個人所渴望的東西，也就是他準備好要接受的東西。有些人的進化走直線，有些人走迴圈，每個人會發展自己的路徑。

同樣的道理，靈魂的進化決定了他此刻的慾望、他想達成的目標，以及他對真理的理解。除非一個人的進化已經來到了最高的層次，他能夠觸及永恆不變的真理。否則，真理是會隨著一個人的進化而不斷改變的。愈是進化的人，他所能了悟的真理就愈深刻。

> We can never sufficiently humble our limited self before limitless perfection.
>
> 在「無限的完美」面前，我們「有限的自我」所能表達的謙卑是永遠不夠的。

阿卡巴國王是十六世紀，把印度各方勢力和宗教，統一起來的偉大君王。有一則關於他的美麗故事是這麼說的：

> 阿卡巴國王因為母親過世，傷心到無以復加。他的大臣們和朋友們想要安慰他，告訴他，他擁有多麼大的影響力和權力。國王回答：「是的，你們說的都對，但這只是令我更加悲傷。儘管每個人都向我鞠躬、給我讓路、向我行禮、服從我，但我的母親是唯一讓我謙卑的人。我無法告訴你，這對我來說是多麼巨大的快樂。」

當有個對象，是你可以低頭、服從，甘願謙卑自己，你也就能夠在他面前，攤開自己的缺失和過錯，祈求赦免和指引。這對於靈魂而言，是莫大的喜悅，更是淨化的機制。如果失去這個機制，我們會愈來愈沉重，更新自己的速度會變得十分緩慢，像一台負載過多無用程式的電腦，很容易當機。

對於阿卡巴，提供這個機制的是他的母親，他在母親面前，得以敞開自己，順服而柔軟。對我們大多數的人，這個對象是我們所敬拜的神／觀音／佛陀／濕婆……。

能夠謙卑自己，便可以讓「無限的完美」進入內心，讓自我（小我）對你的掌控縮減到最小。靈魂因此獲得充分的洗滌，就像是電腦的刪除鍵，一舉清空無用的檔案。你的存在獲得新的空間，喜樂和自由的感受便油然而生。

3 / 31

> Even to utter the name of God is a blessing that can fill the soul with light, joy, and happiness as nothing else can do.
> 即使只是說出神／唯一存在的名字,也是一種祝福,可以讓靈魂充滿光明、歡樂和幸福,這是其他任何事情都無法做到的。

當哈茲若‧音那雅‧康即將離開印度、前往西方國家去傳道時,他辭別他的導師。導師只對他說一句話:「願信仰與你同在。」(May the faith be with you.) 他不是說「願力量與你同在」,或是「願智慧與你同在」。因為導師認為,只要有「信仰」,他就可以擁有無限的可能,他所需要的一切:力量、智慧、堅毅、勇敢……,都來自於信仰。

如果一個人的祈禱是機械式的,不論那是社交活動或是履行責任,那麼這個祈禱不會起任何作用。然而,如果一個人懷著信仰、信念和奉獻的精神而祈禱,他所說的一切便會產生效果,甚至這種效果將製造奇蹟。只要有一個人這樣子祈禱,他就可以抵得過一千個人機械式的禱告。

當懷抱信仰的人,在祈禱中呼喚神的名字,他內心充滿愛,乃至他忘了自己的侷限,因為他一心只想著神無限的存在,於是他的靈魂烙印了無限的理想,他的存在調頻為無限的狀態,他的考量也變得無私。

這就是生命能夠獲得成就的祕訣。有信仰的人和沒有信仰的人之差距,何止千里,是天壤之別,是有限與無限的兩種生命境界。

信仰,可以為一個人帶來光明、輕盈和幸福;在逆境中,懷抱希望、堅定不移,跟隨內心神聖的指引。

APRIL

4 / 1

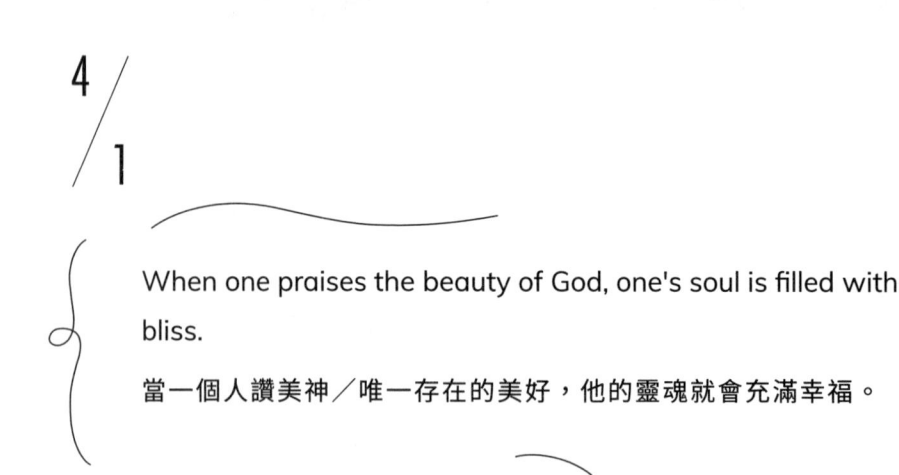

> When one praises the beauty of God, one's soul is filled with bliss.
>
> 當一個人讚美神／唯一存在的美好,他的靈魂就會充滿幸福。

為什麼讚美神／唯一存在,可以增進靈魂的幸福程度呢?

當一個人在祈禱中,讚美神的美好,實際上,他是透過這個祈禱,學習欣賞生命中的美好,看見造物之美是如何顯現於周遭。為此,他見證了美,心中充滿感激。

透過這個祈禱的練習,他會開始注意到生活中大大小小的美麗事物:雨滴落下松針的聲音、池塘邊宏亮的蛙鳴、大冠鷲在天空盤旋的呼哨、剛剛冒出青綠芽尖的種子,以及動物和家人的溫馨陪伴……。

一個人會看見每個美麗的瞬間,感謝每一個小小的愛,欣賞任何人呈現的善意,無論他是年輕或年長,富有或貧窮,聰明或愚蠢。

只要他經常讚美和感恩,美就會織入他靈魂的紋理,反映在他的心。他自己也有能力創造出更多的美,來回應這個世界。他可以當所有人的朋友,不會抱持偏見。

這樣的讚美禱告,正是蘇非鍛鍊心性的一種法門。透過不斷地培養欣賞生命的能力,並獻身於感恩,一個人就會得到一種無法用語言解釋、超乎想像的幸福;被美麗與感恩環繞的國度,就是神的國度。

4 / 2

> Sympathy is the root of religion, and so long as the spirit of sympathy is living in your heart, you have the light of religion.
>
> 同情心是宗教的根源，只要同情心在你心中升起，你就散發宗教的光芒。

所謂的宗教，想要帶來的無非是人與神的連結，體驗與神合而為一的感受。無論是東西方的宗教，它總是在精神上，提供心靈的依靠或淨化，扶持軟弱的人，服務困頓的人。在教會或寺院裡，教徒們彼此會以兄弟姐妹相稱；意味著大家是一家人，而崇敬的神，是天上的父親和母親。

宗教的本質，不是教條或儀式，而是對於內在神聖屬性的覺醒，從而意識到我們與神，與萬物的連結。因此，當我們打開心去欣賞，去愛其他的存在，同情和慈悲便會油然而生。

「同情」，意味著對於痛苦的理解。對於他人的苦痛，能夠感同身受，於是，想要說或做點什麼，來減輕對方的痛苦。這時候，一個人所做的、所說的、所散發的氛圍，便展現了宗教的本質，而同情從心中湧出的時候，其實就正在體現合一的精神。

對於哈茲若‧音那雅‧康而言，理想的世界是：全體人類生活在地球上，就如一個大家庭，大家和平，相愛，共榮。

Bowl of Saki

4 / 3

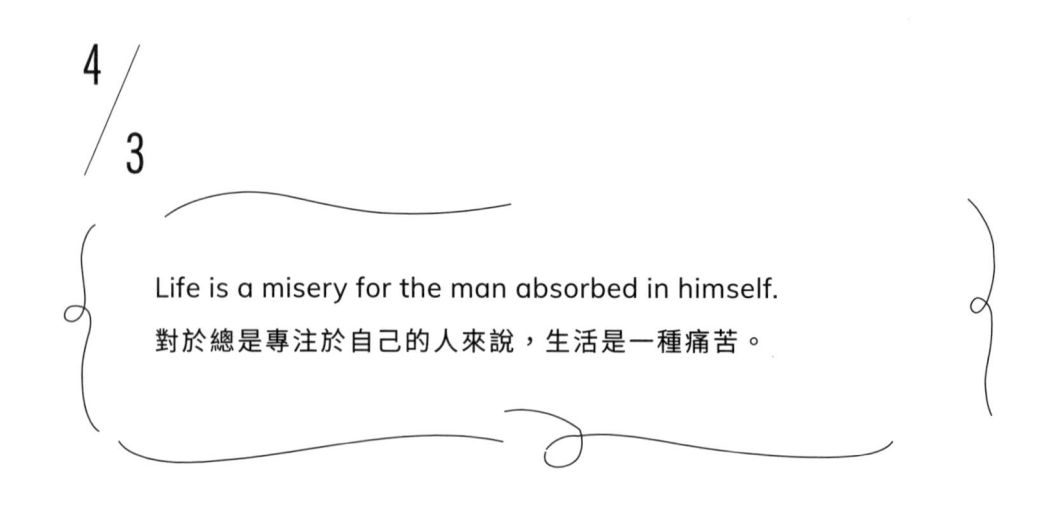

> Life is a misery for the man absorbed in himself.
> 對於總是專注於自己的人來說，生活是一種痛苦。

當一個人以自我為中心，他不會有時間去注意到其他人，因為光是自己的問題，已經耗盡他的感覺。

他的視野變得很狹小，感覺會環繞在自我的感受。他變得自憐，憂心自己的健康或未來。他的生活沒什麼意義。

由於他只關心自己的慾望和目的，所以他的世界和其他人是平行宇宙，沒有交集，無法和別人連結，或建立深刻的關係，導致他總感到孤立，難以滿足，甚至痛苦。

真正的滿足和幸福來自於超越自我的狹隘界限，並意識到自己和其他存在是相互依存的，而幸福的奧祕來自於分享和服務他人。當一個人有了關心和愛的對象，生命的活力會被激發，生活也開始產生意義。

4/4

> To give sympathy is sovereignty; to desire it from others is captivity.
>
> 能夠給予同情的人，是擁有自主力量的；想要獲得同情的人，則是被囚禁的。

當一個人傾向於自憐自艾，透過抱怨，來獲取別人的同情或認同，他就把自己和別人的意見捆綁在一起。而當他的期待落空，沒有從外界獲得他渴求的安慰，他就會失去安全感，欲振乏力，甚至感到孤單，憤世嫉俗。

相反地，當一個人給予他人同情，並且不執著於結果，他就不會被小我掌控，也不會想去操控別人。所以，這個人是獨立而自由的，不會受他人的意見左右。因為他並無所求，所以他擁有自己的主權。

4/5

> God speaks to the ears of every heart, but it is not every heart that hears Him.
>
> 神對每顆心的耳朵說話，但不是每顆心都聽得到祂的聲音。

蘇非學派的使命，想要把一個真理傳遞給世界：人只要潛入內心深處，便可以在那裡與全部的生命，以及所有的靈魂，合而為一。在那裡，他能夠觸及愛、和諧，與美的泉源。而這三個語詞，也是在所有的教導中反覆闡述的主題。

神與人類的交流，不曾間斷。神聖的臨在透過光和聲音，在宇宙中穿梭的振動頻率，帶來訊息和轉化。心的耳朵，可以感知的頻率遠比耳朵可以聽見的更細微。這個感知的能力，透過心的柔軟而開啟，舒展所有神經的突觸，也展開更為神祕的內在直覺。當心展開，便可以接收各種光和愛，並且散發它自身特有的光和愛。

然而，並非每個人的心的調頻，都對準了神聖的頻道。就如同收音機，頻道需要先校準，才能收聽節目；只有當一個人覺醒，準備好要接受，神聖的訊息和指引才能被聽見。

4 / 6

> As one can see when the eyes are open, so one can understand when the heart is open.
>
> 當一個人張開眼睛,他就可以看見,同樣的道理,當他的心打開了,他就可以了解。

當一個人的心是關閉的,這意味著,生命最重要的動能被切斷,他活得如同行屍走肉。他的心無法愛自己的心智或身體,更遑論他人或世界。如果無法愛自己或他人,便無法真正地了解自己或他人。

就算他使用意志力來獲得一些成就,抵達某些地方,然而,在沒有愛的前提之下,意志力很容易被誤用、誤導或甚至造成災難。歷史上,這樣的例子層出不窮。

然而,神聖的火種存在於每顆心中。有一天,當它被點燃,火焰升起時,整個生命被照亮了。這個人便會聽到、看到,並理解一切。當心打開了眼睛和耳朵,樹上的每一片葉子,就變成神聖的扉頁;他便能夠閱讀生命一直透過周遭的許多事物,所帶給他的訊息。

這時候,無論他做的是什麼,都自然成為靈性的活動。他不必是宗教人士、哲學家或神祕主義者,他可以創作音樂、書寫詩歌、從事繪畫、園藝或甚至清潔工作……,他所從事的一切,他的生活日常,都會煥發靈性的光輝和美麗。

Bowl of Saki

4/7

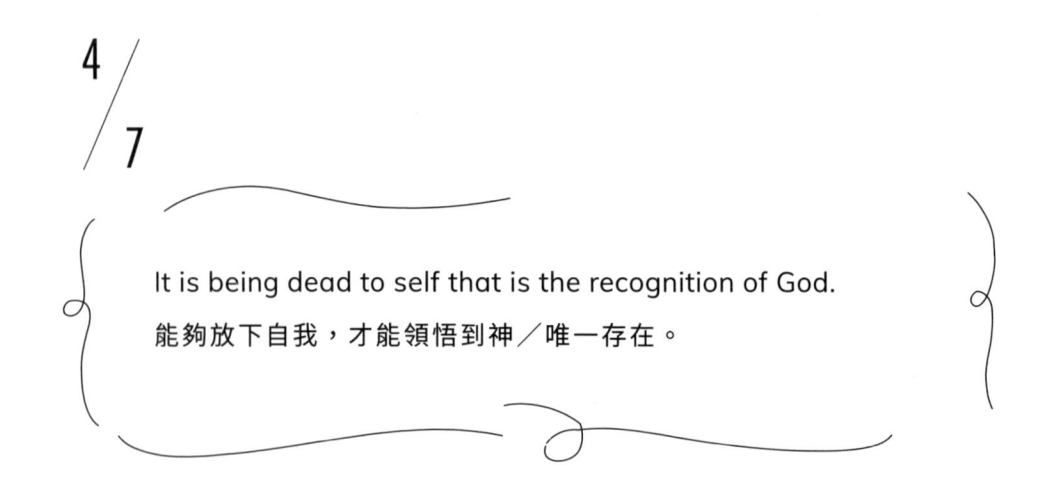

> It is being dead to self that is the recognition of God.
> 能夠放下自我，才能領悟到神／唯一存在。

雖然這句話的英文原文，使用的是更為強烈的字眼，"being dead to self"，對於蘇非哲學以及許多靈性傳統，所謂的「自我之死」或者超越自我的概念，並不意味著泯滅自我，它想要表達的是：改變自我所占有的角色和觀點；想要泯滅的是：自我對於人們不自覺的掌控和限制。

因為自我的掌控，導致我們無法與神／大我合而為一。

十三世紀的波斯詩人伊拉奇（Iraqi）寫過這麼一則寓言：

> 當我走到神聖摯愛的大門前，敲門時，一個聲音傳來，說：「你是誰？」當我通報：「我是某某」時，答案傳來：「這個居所沒有位置給任何其他人，請回去你來的地方吧！」。我回頭，過了很長一段時間，歷經十字架、釘十字架的過程之後，我帶著無私的精神又回到那個大門。我敲了敲門，有話傳來：「你是誰？」，我說：「我是你自己，因為除了你之外沒有其他人存在。」然後神回答：「進來這個住所吧！現在它屬於你了。」

儘管身為人的我們，仍然相當程度，需要自我來實現決策、設定目標、與他人互動。很難想像有這麼一天，可以來到全然無私的境界，讓神的觀點在我們身上運作。

然而，透過自我覺察，透過冥想的練習，我們可以意識到小我的掌控慾望，和失控的焦慮，也有機會在關鍵時刻，讓內在的神性發揮最大力量，做出無私的選擇和行動。或許，透過這些持續的觀照，我們和「自我」（ego）之間會建立一個更健康的關係，時時刻刻，讓自己的行為與思想校準神聖的本質。

4/8

> As the light of the sun helps the plant to grow, so the divine Spirit helps the soul towards its perfection.
>
> 就像陽光幫助植物生長，神靈也幫助靈魂邁向完美。

當植物沐浴在太陽溫暖的光中，它獲得滋養和生命力，使得它能夠伸展，茂盛，繁衍。神靈對於靈魂的作用，就如同太陽對於植物，祂帶給靈魂指引、智慧，幫助靈魂成長，超越限制它的一切事物，包括自我。祂透過各種方式，召喚靈魂走向完美的境地。

生命的目的，是走向完美；每個人的成長，是以所有的失敗和錯誤為代價，來獲得成長所需要的智慧。如果只是一帆風順，靈魂無法獲得鍛鍊，也難以增進智慧。就如同植物，它需要歷經乾渴，在土地中尋找生存的縫隙，根系才會強壯。

因此，所有的經歷對於靈魂都是有價值的；從神靈的角度來看，一切遭遇都是獲得智慧和成長的契機，它們迫使靈魂從中學習，更了解自己，打磨自己過於粗糙的稜角，讓人格變得更美麗。

神靈自始至終，總是對所有靈魂發出這樣的召喚，就如燈塔對於海中的船隻發出光芒。祂召喚靈魂記得來到地球的目的，是為了超越一切限制，走向愛、美麗、和諧，讓天堂在人間被實現。

4/9

> Things are worthwhile when we seek them; only then do we know their value.
>
> 當我們尋求某些事物時，它們就對我們顯露出價值。因為只有在那時，我們才知道它們的價值。

我們無法去追求我們認為沒有價值的東西，就算那個東西在別人眼中是多麼有價值。

我們只能去達成我們所渴望的目標，所以，渴望一定要先出現，目標才會跟進。而每個人此刻所渴望的事物，都是隨著他生命的發展而變動著。

一個人早年所渴求的成功和財富，或許來到生命的另一階段，對他就不再具有吸引力。

只有當我們渴求某個事物，我們才會賦予它價值，並且投注時間和精力去追求它。在追尋的過程，在渴望而尙不可得的痛苦，在忐忑不安折磨之下，會帶來覺醒，讓心活躍，發展出對生命深刻的感受。

想像你好不容易跑完馬拉松，千辛萬苦才抵達終點，你會非常有成就感，覺得自己又戰勝了某些事物，達成一個目標。令人難忘的從來不是終點，而是過程中你所必須面臨的挑戰和身心煎熬，讓最後的抵達產生真正的價值。

追尋的過程，往往比事物本身更有價值。

4 / 10

> When a man looks at the ocean, he can only see that part of it which comes within his range of vision; so it is with the truth.
>
> 當一個人看著大海，他只能看到他視野所及的部分。關於真實，也是如此。

大海是如此遼闊無邊，它的存在不僅呈現於海面，更多隱匿在深水之中，需要潛入大海才能窺見一二。

人們對於真實的捕捉，也經常落入這樣的迷思。我們以為，我們看見了真實，然而，所有的信念，都取決於每個人的視野，可以說，每個人的信念都是大海的一部分，但也都只是片面。遮蔽視野的東西愈少，我們所見就愈多；知道如何潛入內心的人，便可以看見不同的風景，並且來到更深的層次。

真實就如大海，必須穿越表面，才能觸及它無垠而深刻的存在。人和人之間形成的限制和疆界，雖然是在世間生存不可避免的規則，卻也使得感知全部的真實變得困難；人們所能知道的，總是一小部分的真實，是自己此刻的視野所能敞開的程度。

古今中外，所有的先知和大師，無論隸屬何種門派，是佛教、基督教、蘇非或瑜伽士，他們靈性的教導所洞悉的真理都是一致的，僅是使用不同的方式表達。

他們說：不要執著於表象的不同，深入大海，進入人類共通的情感，你會發現本質上，一切存在是相同的。

4/11

> It does not matter in what way a person offers his respect and his reverence to the deity he worships; it matters only how sincere he is in his offering.
>
> 一個人以什麼方式向他所崇拜的神表達他的尊重和崇敬並不重要,重要的是他的奉獻態度有多真誠。

在各個地域,不同的宗教發展出它們的敬拜方式與傳統。無論是習慣在教堂、寺廟、清真寺或是家中的一個角落祈禱;無論祈禱時的姿勢是站著、跪著、趴著;聖壇上有人擺滿鮮花,有人喜歡香煙裊裊,有人希望肅靜,有人播放音樂,有人必須戴上面紗……。這些敬拜的儀式或氛圍,都是由於人的方便與偏好,逐漸形成的傳統和規矩。

對於神／唯一存在而言,這些崇拜的儀式和傳統並不是重點。重點是敬拜者是否真正用心在培養他與神／唯一存在的關係。這可以從幾方面來檢視:與神連結的時候,我們的心是純淨的,思想是專心一意的,而且態度誠懇而真誠,如此身心靈都到位的敬拜,才真正是在與神建立聯繫。就像是擁有一個連線良好的通訊網路,不會有雜訊,能夠接受和傳遞訊息。

想像有兩個人都在敬拜神。第一個人以極精確的方式,在布置優美的聖殿裡進行繁複的儀式,但他內心缺乏真誠,邊做邊想等一下的行程。而另一個人則以深切的真誠和虔敬的心進行簡單的祈禱,他只是剛好來到樹下,興起祈禱的念頭。 根據哈茲若·音那雅·康的觀點,後者的祈禱在神的眼中更有價值。

唯有心的真誠才能打動神／唯一存在。

Bowl of Saki

4 / 12

> The ideal of God is a bridge connecting the limited life with the unlimited; whoever travels over this bridge passes safely from the limited to the unlimited life.
>
> 對於神之理想，是一座連結有限生命與無限生命的橋梁；無論是誰走過這座橋，都可以安然地從有限的生命，過渡到無限的生命。

有成千上萬的人，每天多次唸誦神的名字，然而他們或許是最可憐的人，如果，他們尚未發現「神之理想」的含義，唸誦本身難以提振他們的精神。

這裡說的不僅是信仰，信仰只是追求靈性的第一級階梯。這裡說的神，是眞理的關鍵字，是帶著人繼續爬升階梯的動力。神是自我實現的墊腳石，神也是連結內在與外在生命的橋梁。祂帶給人們對於完美的念想。如果可以理解這個祕密，就能夠逐步實現「神之理想」。

這聽起來似乎太玄妙，哈茲若・音那雅・康很清晰地解說這個概念：

> 「神之理想」是如此地龐大，以至於人們永遠無法完全理解它。智者認為最好的方法就是讓每個人創造自己的神。因此，每個人依照他所能夠形成的「神的概念」來造就神。有人立祂為天地之王；有人使祂成為最偉大的審判者；有人使祂成為全能者，擁有一切能力；有人使祂成為一切恩典和榮耀的擁有者；有人讓祂成為至愛的神，既慈悲又憐憫；有人認同祂的天意、支持和保護。在神的身上，人們認識到一切的完美屬性。

於是，對於神的理想，成為通往更高層次的神性知識的踏腳石。

也正是如此，神的理想，是座安全的橋梁，幫助人們銜接兩個世界，兩種生命。

不同的族群，會造就不同的神。譬如台東一年一度的「炸寒單」祭拜和遊街，寒單神就肩負著「武財神」、「瘟神」、「鬼神」等等任務，祂遊走在灰色地帶，展現祂的力量和庇佑。信仰是一種集體創造，人們的理想也會與時俱進地演變。

4/13

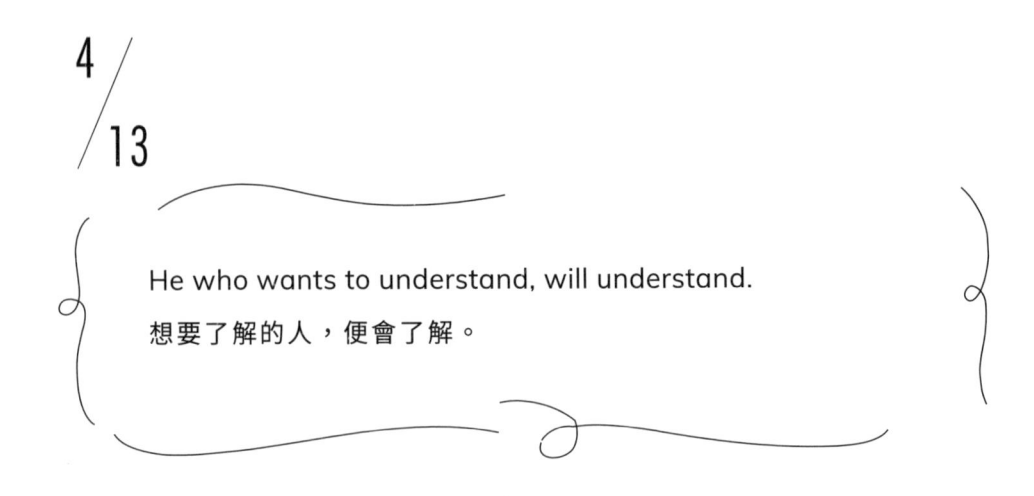

> He who wants to understand, will understand.
> 想要了解的人，便會了解。

每一種果子的熟成，都有自己所需要的時間，人也是一樣。

在印度，把熟睡的人喚醒，被認爲是莫大罪過。如果一個人睡著了，不要叫醒他，讓他睡；現在是他睡覺的時間，提前叫醒他是不行的。

因此，神祕主義者明白，一個正在慢慢醒來的人，一定不能在他的時間到來之前，被提前喚醒，然候，硬是把神祕主義的想法塞給他，這將會是一種罪過，因爲當他還沒有準備好去理解這個道理的時候，他的信念就容易動搖。

「讓一個人繼續相信他此刻所相信的。」音那雅・康說。讓他認爲死後會跟家人團聚；讓他以爲他正在化解所有業力；讓他認爲他會上天堂……。這都只是開始，隨著時間過去，他會進化，慢慢來到同一個階段。早先的休息（或睡覺），對他來說是有好處的。覺醒會發生，一切都有它最好的時機。

如果把尚未熟成的果子，提前摘下，它就沒有機會自然熟成，它的滋味可能酸澀而生硬。每個人的覺醒，也要等待時機成熟；等到他自然醒來，等到他想要了解。

4/14

> Man is the picture of the reflection of his imagination; he is as large or as small as he thinks himself.
>
> 一個人的格局是他想像力的反映。他的大小，取決於他自己的想法。

想像力可以創造許多事情，同樣的一個人，如果認爲自己很巨大，他就會很巨大；認爲自己很高貴，他就會很高貴；認爲自己很渺小，他就會很渺小。所以一個人的大小、強弱、高貴或卑賤，其實和外在無關，都是取決於內在對自己的看法，再把看法投射出去，透過別人來看自己。

當一個人以爲別人都瞧不起他、找他的麻煩、忽視他的存在，那是因爲在他的想像中，自己是卑微、渺小、不值得期待、不被接納、無法堅守立場的人。

想像那些歷史上最偉大戰士，他們的力量是從何而來？那是來自他們的思想。當他們感覺：「我是強大的。」強大的意念就烙印在他們的靈魂中，於是，他們的靈魂獲得力量的加持，而變得更強大。

這就像詩人在靈魂裡烙印了詩意，藝術家在靈魂裡烙印了美，於是這個靈魂就成爲詩人，成爲藝術家。無論是什麼，只要被烙印在靈魂，這個靈魂就會被賦予這項能力，而且成爲他想像中的預言。

4/15

> The great teachers of humanity become streams of love.
> 人類偉大的導師成為愛的溪流。

古往今來，所有偉大的導師或先知，都是神／唯一存在的傳訊者。他們在不同的時間和地點現身，為人類帶來當時最迫切需要的訊息，引導人們走向唯一存在，認識自身的本質。

耶穌、佛陀、查拉圖斯特拉、穆罕默德……，這些偉大的先知，所分別帶來的教導，形成歷史上不同的法脈源流。然而，這些人之所以被景仰追隨，並不是由於他們施行的奇蹟，或是展現的法力，而是因為他們擅長鼓舞他人，透過他們的聲音、臨在、以身作則，讓人們了解一件事，那就是他們的心很敞開，他們對人類的愛很深。

在糾正門徒的錯誤時，他們並不用知性或教條，而是以愛，來洗滌汙點。怎麼做呢？他們會忽略學生的缺失，以寬容、溫柔的方式矯正門徒，讓事情感覺不那麼糟。他們讓門徒看見生命更好的願景，吸引門徒朝著理想與美前進。

他們不會特意告訴門徒他做錯了，而是對他們示範對的方式。

透過這樣的身教和態度，這些偉大的導師化身為愛的溪流，灌溉人類的意識，讓人心成為沃土。

4/16

> 'God is Love' three words which open up an unending realm for the thinker who desires to probe the depth of the secret of life.
>
> 「神是愛」這三個字,為渴望探究生命奧祕深處的思想家開闢了一望無際的範疇。

對於神／唯一存在,大家最常聽見的形容是:全知、全能、無所不在。然而,「神是愛」三個字,為我們帶來嶄新的視野,進入另一次元,而愛是打開生命奧祕的那把唯一的鑰匙。

從宏觀的角度來看,是愛的力量支持所有的創造,讓一切關係和諧運作,吸引每個靈魂走向靈性的覺醒。

從微觀的角度來看,是愛的執著讓細胞凝聚、讓思想連貫、讓兩顆心相隨……。因為愛的緣故,讓我們珍惜這個身體、珍惜身邊短暫的生命、珍惜和我們擦身而過的一切。

如果不是因為愛,世界會分崩離析,就連這個軀體也難以維繫。想要好好活下去,人們需要某種程度的執著。是愛的執著讓我們投注心力,無論悲或喜,讓每一刻有了意義。

當我們深入思考「神是愛」三個字,我們會發現,愛自始至終是默默站在知識、力量、臨在的背後那股推動力。它是一切起源的起源。

4 / 17

> It is the surface of the sea that makes waves and roaring breakers; the depth is silent.
>
> 海面會產生波浪和洶湧的濤聲。然而大海的深處是寂靜。

海面的騷動，並不能驚擾深海的寧靜。

人的內心深處就如大海深處，瞬息萬變的心思情緒則是海面的波浪。就算心思擾動，情緒翻攪，然而這些都是表面的活動，在內心深處，依然儲存著快樂、智慧、愛，以及深刻的寧靜。

只要你學會如何潛入內心深處，就能夠獲得內在深刻的寧靜，支持自己渡過暴風雨。

想要觸及內在的寧靜，必須發掘自己存在深處的韻律。如果我們終日在表面的驚濤駭浪中載浮載沉，就只能一直解決接踵而至的問題，生命變得筋疲力竭。

直到我們意識到，在內心深處，其實存在著和表面不同的韻律，我們可以停下來，調整節奏，回到內在的韻律，深呼吸。在這裡，你所找尋的答案會浮現，甚至原本的問題不再是問題了，因為你會發現，許多問題只存在於心思的表面。

當心思安靜，萬念寂滅，問題也隨之殞落。

4 / 18

> Our success or failure depends upon the harmony or disharmony of our individual will with the divine Will.
>
> 我們的成功或失敗,取決於個人的意志與神聖的意志,是和諧或是不和諧。

意志是神祕的力量。我們可以從兩個層面來觀察意志的運作,一種是個人的意志,另一種是神聖的意志,也就是一般人常說的「天意」。

當一個人違背神聖的意志,想要依靠個人意志去達成任何事,就如同逆流而行,不僅充滿困難,甚至有滅頂的危險。當一個人想做的事和神聖意志一致,那麼一切都水到渠成,毫不費勁。

每個人都有過這樣的經驗,當你執拗地想往某個方向前進卻不斷撞牆,表示你的意志和神聖意志並無交集,你前往的每扇門,都對你關閉。然而,在另一個時候,你想要完成一件事,你的個人意志恰好校準了神聖意志,這就像是神聖意志透過你來執行這件事,你只不過是順勢而為。冥冥中,有另一雙隱形的手巧妙地布局,你只需要跟隨,讓事情自然發生,讓神聖意志全然發揮力量。

個人的意志是受限的,而神聖意志是不受限的。

神聖意志創造了宇宙,祂透過整個宇宙來體現,祂也透過每個個體來表達。因此,當我們知足,而且順從神聖意志,我們便創造出和諧的感受,而且會接收到神聖的指引,這便是成功的祕訣;當我們總是抱怨,覺得一切都不如己意,

一直想要以個人意志，去操控未知的一切，不和諧的感受會籠罩我們，失敗和失望也就接踵而至。

當個人的意志，與神聖的意志合而為一，它就成了神的意志，整個宇宙都是你的幫手，而你所創造的一切，便成為和諧的交響曲。

4 / 19

> The wave realizes "I am the sea", and by falling into the sea prostrates itself before its God.
>
> 海浪意識到「我就是大海」，並藉著落入大海而匍伏在神面前。

蘇非哲學反覆強調的是「與神交流」的日常練習。在理想中，我們生命的每一刻都正在與神交流；我們所採取的每個行動，彷彿神就在眼前；我們呼吸著神的呼吸。實際上，神的臨在就像一股電流貫穿一切。

在大自然當中，我們看到祂所創造的美；在生命的深處，我們看到所有活動之間，巧妙而不著痕跡地串連。神／唯一存在的意志，一直顯現於我們生活中，不論我們有沒有意識到這一切。

個人和神的關係，一如海浪與大海。當人回歸自己的源頭，他的靈魂融入唯一存在，就如海浪落入大海。自我殞落的時候，也就是重生的開始。

人生在世，在潮起潮落之間，在融合與分離的時刻，我們練習與神交流，也與自我對話。

4 / 20

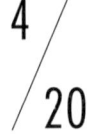

> The secret of happiness is hidden under the cover of spiritual knowledge.
>
> 幸福的祕密隱藏在靈性知識的掩蓋之下。

在梵文的經典《吠檀多》當中，靈魂被稱為阿特曼（Altman），意思是「幸福」或「極度喜悅」。這並不是說幸福屬於靈魂，而是靈魂本身就是幸福，不需要任何外掛的理由。

然而，大多數人終其一生，在外面的世界追逐著「幸福」。以為自己必須要擁有什麼樣的房子，完成什麼事，去過哪些地方，過怎樣的日子，才算是幸福。那是因為，許多人把「幸福」（happiness）和「樂趣」（pleasure）混為一談。其實，樂趣，只不過是幸福的影子；樂趣是幸福的贗品。

人們對於「樂趣」的追求是永無止境的。當他獲得了這個樂趣，馬上會生出下一個念頭，如果下一個念頭，無法被達成，馬上就感覺不那麼「幸福」了。

真正幸福的人，無論住在什麼地方，過什麼日子，無論是富有或貧窮，都能感到幸福。因為幸福來自於內心的狀態，不需要打怪或集點，才能獲得幸福。

什麼是靈性知識呢？這裡指的是「關於合一」的知識，是在世界尚未區分為不同的面向、品質和屬性之前的原則，神與人，以及萬物之間的關係。

在戀愛中的愛人，自然會想要與所愛的人結合為一體，了解愛人的感受。同樣

的道理,當人們渴望與神／唯一存在連結,只有放下自我的執著,才能夠體驗合一的境界。

惟有透過愛,才能做到這件事。合一即愛,愛即合一。

透過合一的體驗,靈魂被釋放而獲得自由,他終於意識到:原來自身如此豐饒,一切不假外求,源源不絕的喜樂正由內心噴發出去。

4/21

> The soul is first born into the false self, it is blind; in the true self the soul opens its eyes.
>
> 靈魂首先誕生於虛假的自我，它是盲目的。在真實的自我中，靈魂才睜開眼睛。

虛假的自我，在蘇非哲學中，指的是小我（ego）。一般人的小我（自我）建構在家庭社會環境影響之下，因此，它的價值觀被各種期待影響，它的認同也是。扭曲的認同就會創造出許多幻象，於是貪婪、無知、執著、嫉妒、競爭便環繞著心理。小我並非全部都是不好的，然而，它的觀點總是受限，容易把我們困住。

我們靈魂當中美好的本質，美德，都被掩蓋在小我淺薄的視野之下。連我們自己都忘了自己原本可以是什麼模樣。

我們最重要的靈性功課，便是意識到小我所創造的幻象，遠離扭曲的認同和價值，好讓真我睜開眼睛，重新審視周遭的一切。

拿《聖經》中的獅子和丹尼爾的故事來比喻。獅子是小我，代表在人類心智上破壞性的元素；丹尼爾則代表人類的靈魂。丹尼爾雖然個子小，但是他的意志與整個宇宙的意志和諧一致。於是，獅子無法傷害丹尼爾。

一旦我們的靈魂覺醒，就能夠戰勝自我心智當中的破壞性力量，同時克服外在環繞我們的其他獅子（其他的小我）。那麼，不論我們接下來要去哪裡，做什麼，與誰在一起，都會是和諧，而無往不利。

4 / 22

> To learn the lesson of how to live is more important than any psychic or occult learning.
>
> 學習如何生活，遠比學習任何通靈術或神祕學更重要。

當今人類所需要的不是學習更奧祕高深的知識，而是學習怎麼生活，並且在生活中互相體貼，互相尊重。一百年前，哈茲若‧音那雅‧康說：

> 當今需要的是一種教育，教導人類在日常生活中感受宗教的本質。人們來到這個地球，並不是為了成為天使。他不需要整天在教堂裡祈禱，也不需要去曠野冥想。他只需要更好地理解生活。他必須學習在一天之中，留下部分的時間來思考自己的活動和作為。他必須問自己：「我今天做了誠實的事嗎？我是否在那個地方、在那個身分上證明了自己的價值？……」如此一來，他會讓每日的生活，成為一個祈禱。

從這個態度出發，人們自然會體貼別人，與人為善，而這就是宗教的本質。

環顧當今世界的紛亂處境，這位蘇非哲學家的話語在百年後的今天，依然閃爍著遠見。祈禱不是嘴上的說詞，祈禱是以行動來實踐的禱文，是日常的調頻練習。

這樣的生活，才會帶來靈魂所渴求的和平。

4 / 23

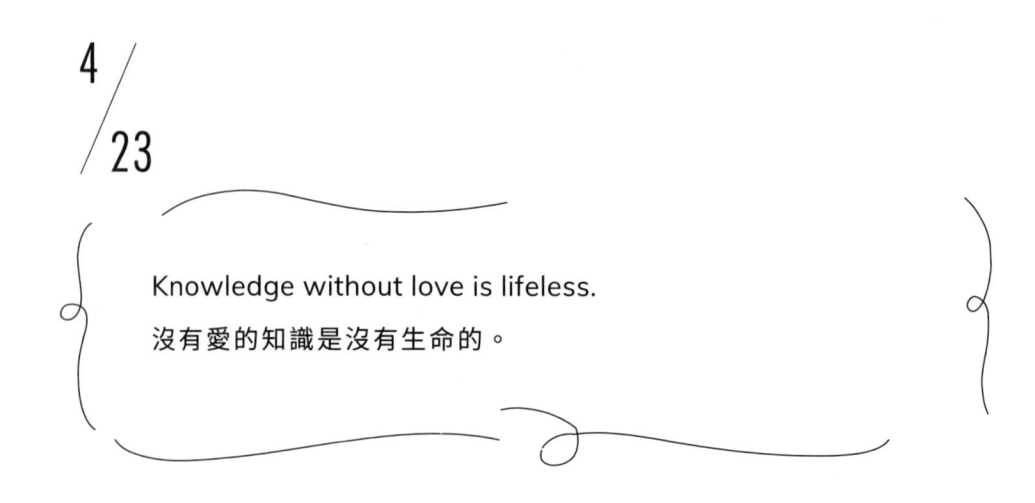

> Knowledge without love is lifeless.
> 沒有愛的知識是沒有生命的。

波斯詩人魯米說，在生命中經歷的痛苦和哀傷就像是蘆葦莖上的洞。是那些洞，讓蘆葦成了一把笛子，可以吹奏出音樂。

我們可以說，每個人的心一開始都只是蘆葦，為了要讓蘆葦成為一把笛子，生命這個演奏者在蘆葦上穿洞；讓痛苦和磨難穿透心，於是心成了一把樂器，供生命彈奏。而透過這些寶貴的體會，心被鑿深拓寬，產生共鳴的空間，能夠同理與同情，同時散發出愛。

心這把樂器，是地球上最動人的樂器，它所演奏的音樂可以將凡人的靈魂揚升到不朽的境地。每個人的心所演奏的音樂都獨特而美麗。

頭腦賦予我們知識，心賦予我們愛；當知識與愛結合，就能發揮最大的力量，傳遞出既生動而且深具影響力的訊息。

4 / 24

> The aim of the mystic is to keep near to the idea of unity, and to find out where we unite.
>
> 神祕主義者的目標是盡量接近合一的理念，並找出我們和他人可以對接、連結的地方。

在人生當中，我們很容易陷入二元對立的迷思：獎賞與懲罰，成功與失敗，責任與自由⋯⋯。然而，這些區分是絕對的嗎？在獎賞當中，難道沒有懲罰嗎？在懲罰當中，沒有禮物嗎？成功中往往潛藏著失敗，而失敗中隱藏著成功。看似對立面的東西，其實並不如所見那樣。

對於蘇非而言，二元對立是幻覺。就像是圓形和方形的燈罩，儘管樣子不同，但是讓它們發亮的，是相同的電流；我們要看到表象背後的根本，才能夠找到連接一切的精神。

一旦我們了解生命的本質，就會發現，一切是互相依存的。

我們的生命是在一個相互連結的網絡裡。出現在我們餐盤的食物，都是萬物的相互合作，才生產出來的。

不僅身體如此，我們的心思也受著千千萬萬活躍的心思影響著⋯⋯。因此，當你自以為你是全然獨立，而且依循你的自由意志做出選擇時，停下來，看深一點吧！我們的生命是糾纏在一起的，有個電流（精神），串連著一切。遠方戰場上，嬰兒的哭泣，無論多麼遙遠，終究會扯動你的心，沒有人能夠全然置身事外。

4 / 25

> Sleep is comfortable, but awakening is interesting.
> 睡覺很舒服，但醒來很有趣。

在世上，有許多人可以一輩子安於一個來自家庭或宗教的信仰；終其一生，他們對於世界的理解，就停留在那個階段。日復一日地生活、工作，表面上看似醒著，然而內在是沉睡著。這裡說的是象徵性的沉睡；意思是人們內在並沒有覺醒，除了某些時候，會靈光一閃，其他的時候，靈魂都是在休眠。

直到來自心裡的衝動開始誕生，靈光一閃的頻率逐漸增加。靈魂醒著的時刻比睡著的時刻多了起來，這使得他想要改變。他不再安於沉睡，他輾轉不安，想要徹底醒來。

當靈魂開始覺醒，一個人才真的看見、真的聽到。他的生活變得多采多姿，因為他很容易被音樂、詩句和藝術打動。他看見落葉，聽見雨聲，好奇經過身邊的飛鳥與昆蟲。

他睡飽了，現在他充分地享受醒來的時刻。

4/26

> Every moment has its special message.
> 每個時刻都有它獨特的訊息。

生命中的每一刻、每一天、每個月、每一年，都有它獨特的祝福。如果你能夠了解生命所提供的機會，就可以逐步完成你來到世上所想要成就的目的。

每個人所能達成的事，所能創造的格局，都和你對生命的見解息息相關。

如果你認為來世上，就是來拿取，來擁有，那麼，你可能會努力朝著這個目標前進，積攢許多財富、不動產、功名，但擁有了這一切，未必會令人感到心滿意足。因為你的眼光還是擱淺在自己身上；只顧著自己的人，生命不僅不會快樂，還會帶來更多的匱乏和恐慌。

當你放眼世界，看見周遭的處境，想要分享、給予、和別人一起創造和改變，才可能帶來滿足和幸福。

一個人可以使用思想和幸福，來充實自己；用靈魂所渴求的平靜和自由，來豐富自己；用帶來嶄新見解的知識，來提升自己。

一旦人意識到這一點，生命的每一刻就成為機會。

4/27

> To make God a reality is the real object of worship.
> 讓神成為真實,才是敬拜真正的重點。

這句簡單的話,蘊含了蘇非哲學的要義。

對於蘇非的神祕主義者而言,他只有一個道德,就是愛;他的宗教只有一個目標,就是讓神成為真實的存在。

首先,他的神是承接了人類理想的化身;其次,他讓神這個理想的化身,細緻地分化為人格中的美好特質。然後,透過他自己的人格養成,把這些美好的特質呈現出來。他的言語、行為、思想都逐漸實現這些理想的特質;最後,他的存在本身也體現了神的存在。這就是「讓神成為真實的存在」的意義。

這個哲學,讓所有的追尋者,最終,成為他所追尋的對象。

因此,神祕主義者播種自己全然的信任,和神／唯一存在建立親密的關係,這個關係伴隨他內在的成熟和轉變;隨著成長,他的信仰更堅毅,他的愛更流動。

由於,他的神不是虛幻的存在,而是全能的、超越一切事物的存在,於是,他的愛比較不會受到其他人世關係的綑綁。他可以愛,也可以超越。

這是敬拜的起點,也是目標。

4 / 28

> Every passion, every emotion has its effect upon the mind, and every change of mind, however slight, has its effect upon man's body.
>
> 每次激情、每個情感都會影響思緒,而每次思緒的改變,無論多麼輕微,都會影響人的身體。

這句來自百年前的話語,顯示出對於身心關聯深刻的洞見。

每個情緒其實都會在身體的某個部位或器官占有一席之地,可能是你的心肺,你的肩頸……。如果仔細覺察,每一次外在的情況改變時,它會影響你內在的情緒,而情緒會牽動思緒,進而擾動身體的某個地方。

當情緒的壓力出現,身體收到訊號,血液會進入某些部位和器官去支援,也可能造成反向運作,使得器官和身體某些部位的液體／精力,流向血液去支援。因此,身體的自然節奏會被改變。

久病會造成一個人易怒脆弱,心情鬱悶。而一個人若情緒不好,每天胡思亂想,長久下來,便會造成身體的垃圾囤積或器官病變。中醫會說這是經絡淤堵,西醫則會在顯微鏡下看到血液濃稠而滯留。

因此,我們的精神狀態、情緒管理,以及對於生命的願景,都正在影響身體的健康。透過呼吸觀察身體,你會發現,當念頭集中於某個想法,你便吸引了身體的神經能量和精神磁力,前往那個想法去執行。而如果我們正在做運動、體力勞動,身體會帶走大部分的能量和精力,這時候很難做深度思考。

當你使用你的身體，執行讓你很開心的願景，你會很有精力，不容易疲累。反之亦然，如果你被迫去做你不認同的事，你的身體、頭腦、心理產生內部分歧，精力很快就耗盡。

你的身體、情緒和心靈，總是透過無形而精密的通訊系統在溝通著。

4 / 29

> When souls meet each other, what truth can they exchange? It is uttered in silence, yet always surely reaches its goal.
>
> 當靈魂相遇時,他們可以交換什麼真相?他們在無聲中交談,而且一定會達到目的。

靈魂相遇時,他們的交流是無聲的,不需透過言語或手勢,他們以共鳴和直覺交換訊息。

言語有言語的用途和位置,然而言語也會帶來許多限制和陷阱。言語受意志力控制,要說多少、怎麼說,這些都影響言語表達的力量。有時候,說太多反而削弱表達的力量,甚至自曝其短。

有些感覺是超出言語所能表達和理解的範疇,說不得也不能說。靈魂深刻了解沉默的力量。有些感覺,一旦企圖使用言語表達,反而變得稀薄而片面。

只要心是敞開的,靈魂與靈魂便自然地融合為一;在合一的時刻,「你我」之別消失了。

靈魂的「共鳴」是即時共享,把被激發的靈感,整個打包帶走。

4 / 30

> All gains, whether material, spiritual, moral or mystical, are in answer to one's own character.
>
> 所有的收穫,無論那是物質的、精神的、道德的或是奧祕的收穫,都是對於一個人性格的回應。

蘇非哲學非常重視性格的培養。要改造一個人的性格,是非常困難的,但是,我們可以從自身性格的養成開始做起。

我們所要培養的性格是什麼呢?只有一個原則,就是讓自己成為你所欣賞、你所傾慕的美的人品。

不要總想著要去改造別人,成為符合你期待的那個伴侶、父母或孩子,先回到自身,讓自己擁有你所喜愛的性格、你所欣賞的特質;如此一來,你就不需要依賴別人,來提供你所需要的東西。而且,愛這樣的自己,成為一件容易的事。

當你的性格已經具備了你所渴求的特質,你才是真正地獨立自主,一切不假他求。

先知說:「神是美的,而且祂喜愛美的事物。」既然神的存在也顯露在我們身上,我們自然也喜愛美的事物。在大自然中,到處都可以看見造物之美,美不僅是在外在的世界顯現,美也藉由內在的人格、性格而展露,這是真正的美的本質。

MAY

5 / 1

> You can have all good things, wealth, friends, kindness, love to give and love to receive once you have learned not to be blinded by them; learned to escape from disappointment, and from repugnance at the idea that things are not as you want them to be.
>
> 你可以擁有所有美好的事物：財富、朋友、仁慈，接受愛並給予愛。一旦你學會不再被它們蒙蔽，學會擺脫失望，就算事情並非如你所願，也不要緊。

我們對於自己所擁有的東西，所遭遇的處境，如果有所偏好，希望事情按照我們的期待發展，那麼，這樣的擁有很短暫，隨時可以被顛覆，而且我們很容易受失望打擊。

其實，我們無法永久擁有什麼，所有的「獲得」，有朝一日都將「失去」。如果你以為可以控制一切，可以牢牢抓住所擁有的事物，那就錯得離譜。我們要學會分辨，何謂真正重要的，何謂次要的，什麼是真正長久的，什麼是過眼雲煙。不去執著於「擁有」的假象，不再追逐短暫的事物所賦予的虛榮。

當你領悟了這個真理之後，便不再需要宣稱「放棄」任何美好的事物了。因為你已經學會隨遇而安；隨時擁有，即時放下。

5 / 2

> The truth need not be veiled, for it veils itself from the eyes of the ignorant.
>
> 真理不需要被遮掩，因為在無知者的眼前，它會自動隱藏。

真理廣闊無垠，難以被任何框架收編。就算我們勉強將真理放進在一個架構裡，尚未覺醒的人也只會看見架構，卻看不見其中的真相。

如果一個人的靈魂被自我覆蓋，尚未啟蒙，真理不會對他顯露。只有當一個人準備好了，他才能夠看見和聽見在他面前顯現的真理。這個看見和聽見的能力，是透過內在的覺醒。

當一個人的心敞開了，心的耳朵和眼睛就會開啟，他將會真正地聽見、真正地看見。一個更廣闊的內在世界會敞開，靈魂隨時能調頻到潛意識，和整體生命連結，並觸及豐富多元的真理。

5 / 3

> No man should allow his mind to be a vehicle for others to use; he who does not direct his own mind lacks mastery.
>
> 任何人都不應該讓自己的心智淪為他人的工具。無法主導自己心智的人欠缺的是控制思緒的知識與技巧。

正如我們的居所，需要經常打掃、整理，將物件歸位，讓空間恢復秩序；我們的心智也需要時常清理、淨化，拋棄無用的印象和資訊，騰出內部空間，來存放重要的訊息。

要做到這一點，一個人需要練習專注與冥想，才能控制自己的心思。否則，當你思緒紛擾，很容易就被周遭的人或環境影響，甚至淪為別人利用的對象。

所以說，每個人都是心智的產物。當你懂得駕馭自己的心智，你就是自己的主人。反之亦然，當你忽視自己的職責，不做主人，你就會淪為奴隸。

5 / 4

> Rest of mind is as necessary as rest of body, and yet we always keep the former in action.
>
> 心智的休息就如身體的休息一樣是必要的，然而我們始終讓前者不斷地活動。

往往在勞累一天之後，身體會非常需要休息。然而，頭腦比身體運轉更快速，按理來說，比身體更疲憊也更加需要休息。大多數人不懂得讓頭腦休息的重要性，即便身體停下來，我們還是不斷腦補，讓心智持續運作。可能是反覆思考明日的行程，調閱今日殘留的印象，追劇⋯⋯。

無法休息的頭腦，會愈來愈衰弱，逐漸喪失記憶、邏輯和行動力。這時候，意志力會變得薄弱，讓懷疑和恐懼跟著進駐，導致焦躁不安，惡性循環，令人更停不下來。然而，一般人並不知道如何讓頭腦休息，也不曾注意到這個問題的重要性。

要讓心智靜止和休息，首先，要讓身體放鬆。假如一個人能夠放鬆肌肉和神經系統，頭腦自然就能夠關機並更新。除此之外，一個人可以練習透過意志力，來排除焦慮、煩惱、懷疑和恐懼，讓頭腦進入一個休息的狀態。而練習呼吸，可以幫助我們做到這一點。

獲得充分休息的頭腦，會帶來力量、靈感、寧靜，身體可以充飽電，精神煥然一新。

5 / 5

> Those who have given deep thoughts to the world are those who have controlled the activity of their minds.
>
> 那些曾經帶給世界深刻思考的人，也就是能夠駕馭自己思想活動的人。

光是讓頭腦安靜是不夠的，如果真的想要成就一些事，首先需要能夠駕馭自己的思考活動；就如同駕馭一匹馬，當你想讓牠奔跑時，牠就奔跑，想讓牠停止時，牠就停止。其次則是，你能夠引導這匹馬帶你前往你想去的地方；這意味著，你能夠讓你的思考服從你的心意，去完成你要做的事，實現你的渴望。

一般人以為心智活動是屬於大腦，而感覺／感情是屬於心的活動。哈茲若・音那雅・康認為心的範圍是更大的，不僅是座落兩個乳房之間的神經中樞，也不只是被稱為「心臟」的那一小塊肉。思想來自於心的表層，而感覺來自心的深處。雖然，我們把這兩者區分為心智和感覺，實際上它們都是心的活動，想法和感覺是相連的。

當一個想法沒有感覺的支持，就如同根系淺薄的植物，這個想法缺乏深度，也沒什麼力量。然而，當一個想法有深厚的感情支持，它就如同一棵樹，發展出強大的根系，深入地底支撐自己。

因此，所有曾經帶給世界深刻思考的人，都是懂得如何駕馭思想，同時結合深厚的情感表達，讓他的思想在世上紮根、茁壯，影響深遠。

5 / 6

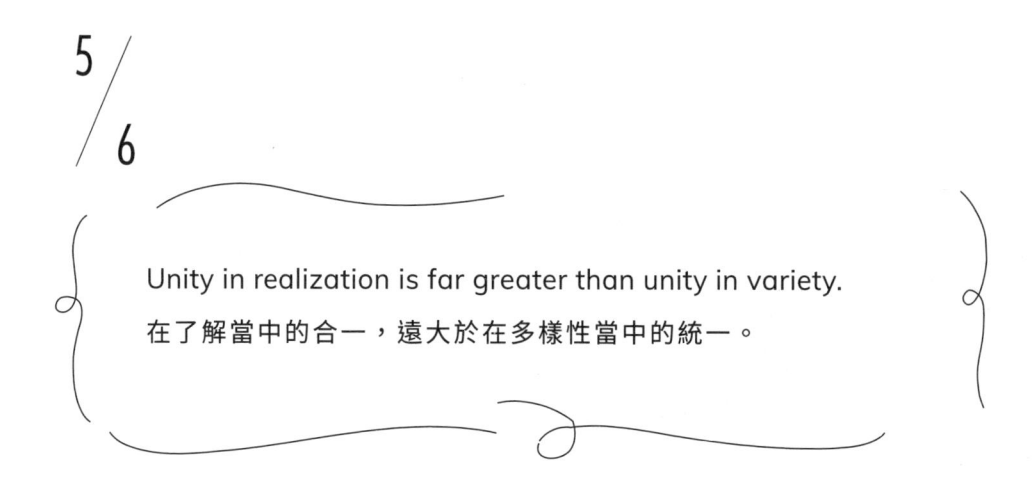

> Unity in realization is far greater than unity in variety.
> 在了解當中的合一，遠大於在多樣性當中的統一。

Unity 在英文裡，有「合一」和「統一」的歧義。

首先，由於深刻了解而來的「合一」，是體悟展現，不是知識的堆疊；是一個人和一切存在自然而然地融合，不再有你我之別。這個人體會到萬物儘管外表五花八門，其源頭是一致的。於是，所有的存在是彼此相連的，不是分離的個體。

然而「統一」，不需要透過理解，只需要接納彼此的不同，就可以在多樣性的當中，和諧共存，合作互利。

在「合一」當中，一個人看見對方時，他同時看見自己。我即是你。因為意識上是融合的，透過直覺可以感知對方。就像是母親與小孩，當母親深愛孩子，她可以透過自己，感知孩子的狀態，就算孩子相距千里也是一樣。母親不需要專注於冥想，來連結小孩，愛讓她自然地與孩子融合，知道他是冷、是餓、生命有危……。「合一」是愛所呈現的自然狀態。

在「統一」的情況下，雖然欣賞各自的不同，容忍生命多樣的表現，但是在意識上，彼此還是分開的。雖然大家團結合作。然而你是你，我是我，彼此尚未能直覺對方的感受。

「合一」與「統一」，是相當不同的境界。

> The afterlife is like a gramophone: man's mind brings the records; if they are hard, the instrument produces harsh notes; if beautiful, then it will sing beautiful songs. It will produce the same records that man has experienced in this life.
>
> 一個人的來世就像是一部留聲機：人的心智攜帶著唱片；如果它們是很艱困的經歷，那麼機器就會播放出刺耳的樂音；如果它們是很美的經歷，那麼機器會播放美麗的歌。它會製造的唱片就是這個人此生的經歷。

有個學生跑去對他的上師說：「上師，我想要看見天堂。」上師說：「好的，你就以此來練習冥想。」於是學生就照著做，但是他所看到的天堂卻不是經文所描述那樣：天堂就是享受舒適和奢華，流淌著牛奶和蜂蜜，到處是大理石的大廳和白袍，美麗的寶石和珠寶，鮮花編織的花環和搖曳的棕櫚樹。

他看不到這些東西，他問自己：「難道老師向我顯示的天堂是錯誤的，或者先知們在經文中給了錯誤的訊息嗎？」

學生回去找上師，說：「現在，我想要看見地獄。」上師說：「好的，你就以此來練習冥想。」於是學生照著做，在恍惚之間，他看到確實有這樣一個地方，但那裡不像是歷代傳說的那樣，並沒有火、蛇、荊棘、折磨、小鬼或火焰。他無法理解，他所見是正確的還是錯誤的；他回去上師那裡，說：「我在天堂裡沒有看到所應許的事情，在地獄裡也沒有看到所預言的事情。」

上師說：「所有許諾給你的來世的東西，你都必須從這裡帶到那裡。它們並非事先為你準備好的東西；您必須隨身攜帶。如果你帶著悲傷，你會發現它們就在那裡；如果你帶著仇恨，你就會在那裡找到它。你的心智就如留聲機的唱片，如果你使用刺耳的言語，留聲機就會發出刺耳的音符；如果你使用優美的語彙和音調，它就會唱出優美的詞和音調。它將製造與您此生的經歷相同的唱片。事實上，你不必等到死後才能體驗它；即使現在你也正在經歷它。」

一切都正在我們眼前被複製。

5/8

> He who depends upon his eyes for sight, his ears for hearing, and his mouth for speech, he is still dead.
>
> 當一個人依賴眼睛去看、耳朵去聽、嘴巴去說話，他其實沒有真正活過。

我們是怎麼看見、如何聽見的？這是引人深思的問題。在夢中，我們閉眼睡著，依然可以看見和聽見，然而，當我們死去，就算眼睛和耳朵還在，我們卻不再能看見和聽見。可見不是器官在賦予我們聽覺和視覺。

當我們想要了解一件事，我們自然會閉上眼睛思考，這麼做的時候，我們隔絕外在世界的聲色，往內在走去，這讓我們把事情「看得更清楚」。幫助我們接收到來自另一個層面的想法和覺受，使得更深層的認知浮現。

傳說中的法蘭西斯修士，是可以跟小鳥、動物、岩石說話的智者。他所依賴的「說話」方式，並非尋常的嘴巴、眼睛或耳朵，而是更為直覺的感知。先知會透過他的意識來「看見」一切；他目光所及之處，都會帶來洞見。因此，他能夠「閱讀」自然中的事物。

當我們不再依賴物理性的「看見」和「聽見」，我們會開始向更為永恆的直覺敞開，讓「內在的看見和聽見」覺醒，只有這樣，我們才真正活著。

5/9

> We cover our spirit under our body, our light under a bushel; we never allow the spirit to become conscious of itself.
>
> 我們以身體覆蓋了靈性,把光芒藏在容器裡;我們從來不允許靈性意識到自己的存在。

大多數人的認知被這個身體和物質的世界困住,被日復一日的煩惱和緊湊的行程蒙蔽,遺忘了真正的生命具有不朽的一面。而存在本身,是超越物質和色身,它有著更深刻的含義。

當我們投注精力於外在世界的種種,它所帶來的享樂和活動,隨之而來的不滿足和壓力,便占滿我們的心思。導致另一個層面的內在生命繼續被覆蓋,靈性之光難以顯露。

只有當我們意識到這個限制,並且開始探索內在所覆蓋的東西,這個遮蔽物才會被掀開。我們的認同會從尋求外界的認同,轉而尋求內在的認同。這個對內的探索,會讓我們重新認識自性,了解生命目的。它帶來認同的逆轉,啟動靈性的開悟與內在的平靜。這是重新走向自己的神聖之旅。

5 / 10

> When we devote ourselves to the thought of God, all illumination and revelation is ours.
>
> 當我全心全意地想著神／唯一存在,所有的光和啟示都會是我們的。

蘇非哲學推崇的敬拜方式,是拋下一切教條和儀式,與神／唯一存在,建立直接而且親密如愛人的關係,不需要透過神職人員的轉譯或認同,想想看,當你戀愛的時候,你還會希望有人介入你和愛人之間嗎?我們尋求與神的直接對話,透過祈禱、靜心、沉思的練習,讓自己的心成為神的殿堂;讓與神的親密透過此刻的生命,透過各方面的行為呈現。

靈性追求,需要同時透過「了解和實踐」,兩者相輔相成。當你全心全意,把神的理想放在自己面前,等於是經常把自己的心調音,成為一把和諧的樂器,等待被神聖的演奏者演奏。

在這個調頻當中,信仰會紮根,智慧和光啟會經由各種途徑,對你展現,因為頻道已經校準;神傳遞訊息的手法是精巧的,時常出其不意,萬物都是祂的使者,而眾生都是祂的樂器。

哈茲若·音那雅·康有一段美麗的禱詞,是這麼說的:「上主啊,主宰東方和西方、上界和下界、看得見和看不見的存在,請將您的愛和您的光傾倒在我們身上,支撐我們的身體、心和靈魂。運用我們來實現您的智慧所選擇的目的,並引導我們走上您的良善之路。讓我們在生命的每時每刻和祢更親近,直到祢的

恩典、祢的榮耀、祢的智慧、祢的喜樂和祢的平靜，在我們身上反映出來。」

這段禱詞，一再把神的意志和智慧，放在自我之上，最終目的是，在自己身上完全體現神聖的屬性。這就是「全心全意想著神」的最佳註解。

5/11

> God-communication is the best communication that true spiritualism can teach us.
>
> 與神溝通，是真正的靈性學所能教導我們的最好的溝通。

對於哈茲若·音那雅·康而言，真正的靈性學應該要教導人們：「如何與神／唯一存在建立直接而親密的關係」。在這樣的關係中，可以清晰地交流，接受神的指引，不需要透過通靈者、印第安巫師、神殿的祭司或是廟宇的乩童來做仲介，傳遞訊息。

他深信，每個人都可以做到這一點，只要透過練習，讓心智恢復純淨，連線維持清晰，就可以直接地與神溝通。

所謂的練習，包含專注、呼吸、祈禱和冥想。這些日常的練習，能夠幫助我們日復一日，建立溝通管道，確保溝通品質；這是通往內心的管道，需要屏蔽外界的紛擾。蘇非有個冥想的練習，甚至是用手遮蔽眼睛和耳朵，截斷聲色來源，來幫助自己潛入更深的心之洞穴，讓內心清澈如鏡，映照訊息。

雖然，所有的宗教，都有練習專注、泯除雜念的方法。透過唱誦經文，抄寫經文，或是重複咒語，來鍛鍊專注。然而，蘇非的專注是為了愛。

為了和神談一場「戀愛」，人需要敞開心，才能更親近神，體會祂的臨在。而且透過這一場戀愛，他願意超越個人的侷限，臣服於愛人，和愛人有深刻的交流。因此，這個非比尋常的親密關係，帶來生命的轉化，也主導著他人生的旅程：他總想著跟隨愛人，前往祂要去的地方。

5/12

> The mystic desires that which Omar Khayyam calls wine, the wine of Christ, after drinking which, no one will ever thirst.
>
> 祕士渴望品嚐奧馬爾・海亞姆稱之為酒的東西，那是基督之酒，喝了之後就再也不會渴了。

在蘇非的靈性教導中，葡萄酒被視為靈魂進化的象徵。由於葡萄的消融，美酒誕生了；當自我消融，永恆的眞我就誕生了。

而在所有令靈魂狂喜迷醉的酒當中，沒有什麼比得上「神聖的愛」，那對於靈魂是極品。喝了這一款酒，靈魂再也不會渴。無論他身處何處，在皇宮或曠野，都無所謂，沒有什麼能奪走他的喜悅和滿足。

當我們把所有的自以爲是倒空，靈魂便有空的杯子來承接這杯神聖的美酒。

5/13

> Our limited self is a wall separating us from the Self of God.
> 我們受限的自我是將我們與神的自我隔開的一堵牆。

當我們聽從自我的意願，我們對於人生的追求或退縮，也會受到它的眼光侷限，而看不到其他可能性。

自我的欲求、恐懼、無知和執念，將主導我們的注意力，導致我們想要抓取外在世界的東西來獲得安全感。於是，我們以為功名、關係、財富、他人的肯定……，是解決內在不安的答案。然而，內在的不安，並不曾真的因為擁有這些東西而消失。

當我們的自我被更多的執著和慾望餵養，堆累為一座肥厚的牆，占據我們更多的時間和精力，它也就把神和靈魂摒除在外。讓我們意識不到他們的存在。

我們逐漸忘記自己的本質和內在的渴望，也接收不到神／唯一存在所傳遞的訊息。

直到有天，我們突然醒來，覺察自我的追求已經來到盡頭，而我們注意到牆的另一邊，似乎存在著更有趣的東西，我們決定翻牆過去看看。

5/14

> The wisdom and justice of God are within us, yet they are far away, hidden by the veil of the limited self.
>
> 神的智慧和公義就在我們內心,但是被「受限的自我」遮蔽了,於是感覺很遙遠。

如果人類能夠更新自己對於自然運作法則的理解,他就會明白:幸福,取決於和我們共同生活的人的幸福。想想看,你的伴侶、小孩、鄰居、服務你的人、清潔的人……,如果這些人不幸福,你又怎麼會幸福呢?

更深入和擴大來看,我們會看見,幸福也取決於環境生態的幸福,眾生和萬物的幸福。事實上,所有的生命是一體的,只是顯化為不同的外表和名稱。如果手在疼痛,腳會快樂嗎?

人世間所有的戰爭、屠殺、革命,以及各種災難,都是兩個原因造成的:首先,人們的自私自利;其次,對於自然和幸福的法則缺乏了解。導致某些人只想維護自己的優渥或權勢,無視於他人(或環境)的痛苦,生命大範圍失衡了,於是只能透過激烈的手段來恢復平衡。

5 / 15

> He who looks for a reward is smaller than his reward; he who has renounced a thing has risen above it.
>
> 一個尋求獎賞的人，比他獲得的獎賞渺小。當他捨棄了一個事物，他便超越了那個事物。

如果行善之後，等待獲得報償或感激，那就不是行善，而是勞力。如此一來，你把善行變成交易，把自己變得比你的獎勵卑微。真正懂得行善的人，行善之後就不再惦記。由於他對生命的理解，已經來到另一個階段，他不在意別人的獎勵或眼光。行善的動機不是為了要獲取什麼。

一個人之所以能捨棄一樣東西，是由於內在的發展，轉變了他對事物的觀點。

譬如：小時候你每天抱在手裡的填充玩具，長大後你自然覺得不需要它，可以放下了，但是當你還小的時候，你無法想像沒有這個玩具。

當靈魂對於生命的理解改變，他會自然捨棄某些原本執著的事物，因為他已經超越了。

5/16

> The poverty of one who has renounced is real riches compared with the riches of one who holds them fast.
>
> 和緊握一切的富人相較之下，由於捨棄所擁有的東西而貧窮的人，才是真正富有之人。

如何定義富有或貧窮？所依據的是每個人的價值觀。

價值觀不同，所在意的東西就不同。

有些人努力積累財富，擁有很多財產，被社會視為「富人」。然而，在精神層面，他們可能是貧窮的，因為他們執著於所擁有的東西，被慾望綑綁，難以真正自由或快樂。

另一些人，他們捨棄擁有的東西，甚至身無分文。這些人或許被社會視為為「窮人」，然而，在精神層面，他們捨棄並超越了從前執著的東西，不再受羈絆，因而擁有更大的自由，這讓他們很富足。

世上所有的東西都是如此。當我們渴求它們，它們對我們就不可或缺；一旦我們對事物的理解改變了，不再渴求它們，它們對我們就不再有價值，便可以捨棄。

5 / 17

> Love for God is the expansion of the heart, and all actions that come from the lover of God are virtues; they cannot be otherwise.
>
> 對神／唯一存在的愛來自擴展的心，而任何源自神的愛人的行動都是美德。它們不可能是別的東西。

蘇非的哲學認為與神的關係，就如同與「愛人」的關係。蘇非的詩人，魯米和哈菲茲給神寫了許多情詩，神就是他們的親密愛人。

透過他對於父母、伴侶、兒女、朋友的愛，蘇非實踐了他對神的愛。因為萬物都是神所創造；如果你愛造物主，你怎麼可能不愛祂所造之物呢？

神的愛人在萬物之中，看見的都是神。因此，他對於敵人的容忍，對於他人的善行，都是對於神的容忍和善行。他對於世界的愛，是奠基於他與神的關係。他以為，如果他對別人採取任何行動，也就是對於神採取行動。

蘇非認為，無論這個人看起來是多麼不切實際，或是不夠聰明，只要他是神的愛人，你便可以信任他的正直和誠實。因為，對於神的奉獻必然會淨化一個人的靈魂，使他不可能做出傷害別人的事；如果他傷害了別人，他就是傷害了他的「愛人」。

5 / 18

> God is the ideal that raises mankind to the utmost height of perfection.
>
> 神是人類的理想,透過祂,將人類提升到完美的最高境界。

理想為人們帶來希望和堅持,若沒有理想,「希望」和「堅持」就失去著力點。我們可以有各式各樣的理想:原則、道德、想奉獻的目標……。然而,沒有任何理想比「神的理想」更崇高。

這裡所指的神,不是放在神壇上膜拜的對象,而是集結人類崇高理想的化身。祂象徵人們對完美的盼望和投射,不是身體或物質的完美,而是精神、道德、靈性上的完美。人們希望自己能夠藉由這個理想,在人間體現愛、慈悲、謙遜、無私、公義等神聖的美德。

「理想」如同燈塔,帶給人希望,引導人堅持下去,繼續朝理想前進。一旦失去「神的理想」,希望就沒有著力點,人會墮於黑暗中。

佛教徒篤信,每個人身上都有佛性,一旦佛性被啟發,人人皆能立地成佛,內心澄淨而喜悅。這個佛教徒的理想,幫助大家努力修行,放下執念。

蘇非哲學則認為,每個人身上都有神性,而神住在每個人心中,引導人在世間,透過行為、思想和言語,來體現神的理想。

5 / 19

> He is wise who treats an acquaintance as a friend, and he is foolish who treats a friend as an acquaintance, and he is impossible who treats friends and acquaintances as strangers; you cannot help him.
>
> 把認識的人當朋友是智者，把朋友當認識的人是愚者。把朋友和認識的人都當陌生人的人，你無法幫助他們。

世俗上，一般人或許不以為朋友有什麼特別，不過就是「認識的人」罷了！在蘇非的文化，卻非常看重友誼。認為我們若能率先以朋友的態度去對待認識的人，便播下了友誼的種子。

如果要等到別人對你好，你才對別人好，或是看見別人對你的用處，你才去攀緣結交，這樣的友誼充滿算計，與商業行為沒兩樣。

哈茲若‧音那雅‧康說：「事實上，友情比你在世上的任何連結，都要神聖。對一個真誠的人而言，進入友誼就像是進入天堂之門；而探訪喜愛的朋友，猶如朝聖。」廣結善緣，容易跟人做朋友的人，他也就是神的朋友。

就算你先對別人好，釋出你的友誼，你也並不吃虧。因為我們存在的宇宙是一個圓頂的穹蒼，你所有給出去的，最後都會折返，可能是透過另一個人，對你伸出的友情之手。

5 / 20

> Insight into life is the real religion, which alone can help men to understand life.
>
> 對生命的洞察,是真正的宗教,只有它才能幫助人們理解生命。

洞察和覺察最大的不同在於,我們可以透過「覺察」,看見事物的多樣性,以及多元觀點。然而,洞察不同,它就像是一道雷射光,穿透所有層次,直指事物的共同本質,連結一切的真理。

宗教是什麼呢?宗教連結人與神,幫助人們理解生命的道理和意義。因此,對生命的洞察,在更深的層次,猶如宗教,幫助人們理解「一切事物是相互依存」的真理。

因此,宗教真正的意義,不是勤跑寺廟或教堂,不在於做法會或誦經,而是發展本身對於生命的洞察,並且身體力行你的洞察。

我們看見許多人會去寺廟或教堂敬拜,也會替自己的家人或朋友祈福,然而對於服務他們的人、路邊的流浪漢或陌生人,他們卻傲慢無禮,無視或漠然,這表示他們並不真正理解宗教或生命。

5 / 21

> The realization that the whole life must be give and take is the realization of the spiritual truth and fact of true democracy; not until this spirit is formed in the individual can the whole world be elevated to the higher grade.
>
> 「生命的整體必須奠基於接受和給予」，這個認知不僅是靈性的真理，也是民主的要義。只有當這個精神在每個人身上展現，整個世界才能提升到更高的層次。

「生命就是給予和接受」，數百年前的祕士（神祕主義者）早已領悟這個法則。不僅是你會接收到你所給出的，你也把你所接收到的再給出去。

更有趣的是，你可以善用這個法則，創造你想要接受的東西。你愈是想要接收到什麼，你就先主動給出那個東西。這個邏輯乍看違反常理，因為多數人只想要獲得，而吝於給予；覺得自己很匱乏，於是獲得之後緊抓不放。然而，這就破壞了上述的平衡原則，造成能量循環不良，你反而得不到你所想要的。

譬如：當一個人渴望愛，想要別人多愛他關心他。最好的策略是，先練習給出愛，主動關心別人愛別人。如此一來，愛會在宇宙中繞了一圈，回到他身上。

一旦了解這個法則，我們就明白，所有人都是依賴著別人的服務和幫助而生活著，無論你擁有的頭銜或地位是什麼，我們都需要那個為我們種植稻米和小麥的人，運送糧食的人，採購的人和消費的人……。在許多方面，我們的生命都是互相依賴而存在的。

5/22

> The perfect life is following one's own ideal, not in checking those of others; leave everyone to follow his own ideal.
>
> 完美的人生是跟隨自己的理想，不是去審查別人的理想。讓每一個人都跟隨他自己的理想。

哈茲若‧音那雅‧康終其一生，致力於化解宗教所帶來爭戰和仇恨。他在世時，曾經設立一個普世敬拜的神殿，安置世界六大宗教，好讓所有的人，都能夠在同一處，敬拜他們各自所信仰的神，而且互相尊重。

蘇非認為，你無法替別人消化他的食物，那麼為何要替他消化他的思想呢？你無法替別人贖罪或學習，就算花了錢迴向給別人做功德，也不能改變別人的信仰。神創造了每種形式和每種物體，以便祂能透過這些形式和物體來實現自己。所以，敬拜神，就是讓每個人，每種物體都做它自己，表達它自己。

我們不去約束別人的表達，或是審查別人思想。你喜歡一天禱告十次，他可能一天只禱告一次；你喜歡去寺廟和他人一起膜拜，而他只在房間單獨祈禱，這些都不影響一個人的信仰。讓每個人選擇適合自己的方式，去實踐他的宗教，追隨他的理想，盡自己的本分。這才是真正的「宗教精神」。

5 / 23

> Every man's desire is according to his evolution; that which he is ready for is the desirable thing for him.
>
> 每個人的渴望,都是跟隨他的靈性發展而來。只有當他準備好要得到一個東西,那個東西才會成為他的渴求。

每個人的生命在不同的階段,會渴求不同的東西。我們無法把大人的食物,餵給還在喝奶的嬰兒,也不能把豬吃的東西餵給鳥。你覺得寶貝的東西,別人可能棄如敝屣。你認為好吃的美食,可能不合他人的口味。我們喜歡的東西隨著成長和心境變遷,一直在改變。

每個階段的人生,都有適合那個階段去擁有或渴求的事物。想想看你小時候蒐藏的郵票、扭蛋或貼紙,過了那個年紀之後,通常就不再吸引你了。不僅是物品如此,你少年時期迷戀的音樂或歌曲,過了二十年再聽,可能覺得已經走味。

人的渴望會隨著成長而改變。這就是靈性自然的進展過程。

在物質世界裡,一般人從美食和身體的舒適獲得滿足。然而,隨著心境的變遷,你或許會發現,心中一個美麗的印象,或一句令你驟然開朗的話語,所帶給你的快樂是超越所有物質享受的。

當我們內在準備好了,吸引我們的東西自然會出現。

5 / 24

> Discussion is for those who say, What I say is right, and what you say is wrong. A sage never says such a thing; hence, there is no discussion.
>
> 討論之所以必要，是因為有些人認為「我說的才對，你說的是錯的」。一個智者從來不會說這種話，因此沒什麼好「討論」的。

哈茲若·音那雅·康曾經說過一個智者的故事，可以做為這句話的最佳註解：

我曾經和一位很受歡迎的智者在一起，許多人來見他。然而他不喜歡爭辯或討論，⋯⋯但是這個世界總是喜歡鬥爭、討論、爭辯。

許多人會試圖與他爭辯，但他總能巧妙地迴避。譬如，我的朋友前來與他討論何謂「理想的生活」。他說：「你認為什麼就是什麼。」這回答無法滿足我的朋友。他們想要引發討論。

於是他們繼續：「你認為從早到晚有這麼多責任和奮鬥的生活，是理想的生活嗎？」智者說：「是。」他們又問：「那你目前所過的這種退休和僻靜的生活，是理想生活嗎？」智者說：「是。」

他們說：「但是我們怎麼能放棄現在的生活，放棄對孩子、對職業的責任呢？所有這些事情就占用掉大量的時間。」智者說：「不要離開。」

朋友接著說：「但是，如果我們不離開它，如何在精神生活中繼續前進？」智者問：「你所說的精神生活是什麼意思？」朋友回答：「像你這樣的生活。」

智者說:「如果你認為我的生活是精神生活,那就像我一樣吧。如果你認為你的生活是一種精神生活,那就堅持下去。不可能去說哪種生活是最好的。……任何讓你快樂、讓你認為自己做了對了的事情,從那一刻起就去做,看看結果如何。如果它能帶給你更多快樂,如果你在做的同時感到滿足,而且你有所收穫,那就沒問題了。繼續下去,你將永遠受到祝福。」

5 / 25

> Tolerance does not come by learning, but by insight; by understanding that each one should be allowed to travel along the path which is suited to his temperament.
>
> 包容並不是靠學習而來，而是因為擁有了對生命的洞見，當你了解到每個人都應該被允許走上最適合他性情的人生道路，包容就會自然浮現。

有些人累積財富，有些人保育環境，有些人渴求愛情，有些人尋找天堂。讓每個人依據自己的氣質和性情，去設立自己的人生目標，依此踏上自己的旅程。我們不必干涉別人的追求，不要爲別人設立目標，讓一切自然而然發生。

包容會帶來眞正的自由，不僅是別人的自由，還有了自己的自由。當我們允許別人爲他自己做出適情適性的選擇，並且負起責任，我們同時也就卸下了自己肩頭的擔子，不必爲他人的選擇負責。如果強行要把自己的信念和價值，加諸於人，或批判別人的目標，或不允許他人獨立思考，那就會製造許多問題和紛爭。

蘇非強調生命的多樣性，因此個體的獨特性，應該被尊重。幫助每個人都能夠活出自己眞正的樣子，而不是去完成他人的期待，這才是生命的終極目標。

套句王溢嘉的話：「每個人都可以成佛，每個人也都可以用自己的方式進天堂。」(注)

注｜《豁然開朗的人生整理術》p121，王溢嘉著

5 / 26

> So long as a man has a longing to obtain any particular object, he cannot go further than that object.
>
> 只要一個人渴望達成一個特定的目標,他就無法超出那個目標。

哈茲若‧音那雅‧康向來鼓勵每個人去追尋適合自己性情的目標,然而,這一則話語卻提出警告:有了目標雖好,但也要當心。如果一個人太過於執著特定的目標,目標反而成為一個人精神發展的束縛。在追求目標的同時,內在需要培養適度的超然和覺知。

一個人的動機,會主導他的成就。只要一個人渴望獲得某些東西,那麼他所能成就的範圍必然會受到這動機制約。譬如,你想要考上好大學、賺很多錢、服務更多人,或是改革一個國家;你的目標決定你的格局。無論那是渺小或遠大的目標,這個一開始驅動你的目標,後來可能也會成為你的執著,對你造成限制,使你的眼光因而變得狹隘,除此之外別無成就。

甚至,當你完成當前的目標,通常並不會因此而滿足,下一個目標會立刻冒上來,一個接一個,永無止盡。你告訴自己:「只要達成這個目標,我就會快樂。」但是快樂永遠不會到來,許多人成了「目標的奴役」。

這就是為什麼智者說:「無論你的動機是什麼,你可以去完成生命中想要達成的一切。然後,讓這個過程引導你進入下一個階段,在那裡你學會超越這一切,超越物質和俗世的慾望。」

5 / 27

> Every man's path is for himself; let him accomplish his own desires, that he may thus be able to rise above them to the eternal goal.
>
> 每個人都需要踏上他自己的路徑，讓他實現自己的渴望，好讓他有一天能超越這些渴望，來到永恆的目標。

人一生當中，所設立的目標，在追求目標的過程中所經歷的一切，都是爲了更重要的事情所做的準備。這些經歷，就像是階梯，不是爲了停留，而是爲了幫助我們往上爬，抵達最終的目標。

不管有沒有意識到這一點，每個人正在透過他所選擇的道路和經歷，培養他人格所需要的特質；可能是勇氣、耐心，也可能是誠懇、接納……。每個靈魂有自己的目標，希望能透過人格來展現某些神聖的特質。

靈魂的渴望很珍貴，需要被呵護和尊重。讓每個人去實現自己的渴望，這個靈魂才能獲得他所需要的成長和養分，直到有一天，他能夠超越他自己渴望，完成他最終的作品——他獨一無二的自己。

5 / 28

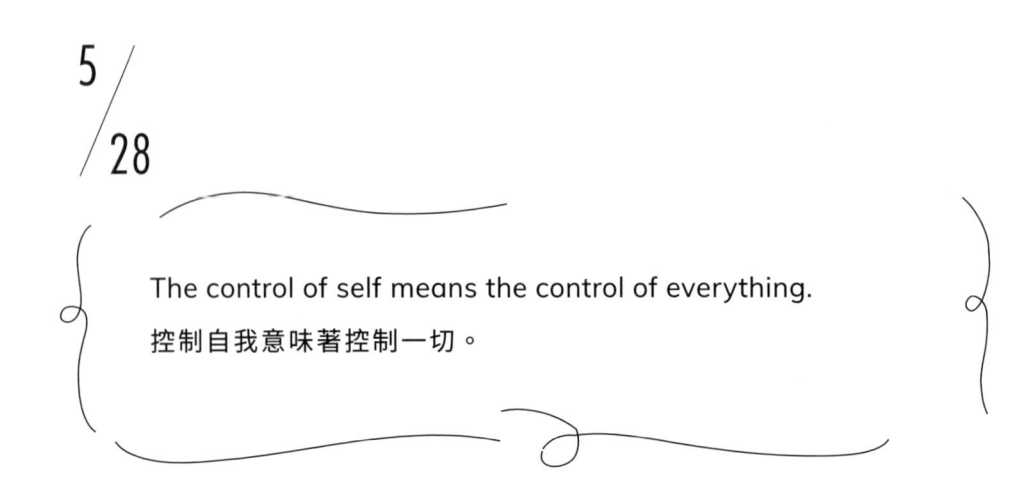

> The control of self means the control of everything.
> 控制自我意味著控制一切。

一個人可以擁有很高的靈性、領悟力、和虔誠的態度。然而,如果他無法控制自我,這一切就都難以發揮。自我控制意味著:沒有任何的想法和情緒,可以在你不想要的情況之下,冒出來驚擾你,將你淹沒,令你失去臨在和平靜。

自我控制也是通往幸福和平靜之道。表示你能夠握住「自我」的韁繩,不任由這匹野馬把你甩下,失控狂奔,傷害自己或他人。

當我們握住控制自我的韁繩,我們也就掌握了自己的人生。

5/29

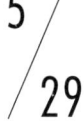

> God is love; when love is awakened in the heart, God is awakened there.
>
> 神就是愛。當愛在心中覺醒，神也就在心中覺醒。

蘇非哲學認為，真正的天堂，在人的心中。

而讓生命發光的是愛。當一個人的心，缺乏愛、無法愛，那麼，從靈性的角度來看，這個人雖生猶死，他並不曾真的活著。

我們無法強迫一個人去愛，或是為了責任去愛。這並非愛的真諦。愛不是交易，不是因為別人愛你，你就必須愛他。愛也不是責任，不是為了成就某種美德，你就去愛。

愛是自然湧現的噴泉，也是開啟的心所散發的光。當愛在心中覺醒了，你無法不愛，也不能不愛，就如太陽得要發光，瀑布必須奔流而下。

5 / 30

> All the disharmony of the world caused by religious differences is the result of man's failure to understand that religion is One, truth is One, God is One; how can there be two religions?
>
> 世界上所有因為宗教歧義而引發的不和諧，都是由於人們不了解宗教只有一個，真理只有一個，神只有一個。我們怎麼可能有兩種宗教呢？

從古至今，以宗教為名而發動的戰爭不計其數。認為「我的神才是真神」、「你必須敬拜服從我的神」的這些基本教義，帶來殘暴的腥風血雨。光是一個耶路撒冷，就是好幾個宗教的必爭之地。

然而，追本溯源，所有的宗教各自膜拜的神，雖然被賦予不同名稱，其實都是同一個神；一切光啟，都是來自唯一存在。佛陀、耶穌、穆罕默德、濕婆……則是在不同的時代，接受和傳遞神聖智慧的先知。

智慧之光，從古至今持續引導著人們的精神發展。只不過，出現在不同時代，每個宗教所強調的部分不太一樣。

一個好的老師，必然會因材施教，不會教導所有的學生相同的東西。神必然也是因應不同的時代和文化，而披露部分的真理，為了達成有效的溝通，並且帶來啟發。

如果我們把眼光放在這些不同宗教所顯示的名稱和形式，就會帶來人類的分裂和爭戰；同時也把「神」變得渺小和狹窄。

然而，如果我們看得更深刻一點，就會明白許多宗教，所闡述的本質是一致的。所有的真理，都是來自於同一個源頭：是神透過不同形式和語言，與人的溝通。

5/31

> The use of friendship for a selfish motive is like mixing bitter poison with the sweet rose-syrup.
>
> 當一個人因為自私的理由,而去利用友誼,這就如同將苦澀的毒藥與甜蜜的玫瑰蜜攪和在一起。

你以為當一個朋友很容易嗎?蘇非認為當一個朋友,很困難。因為自我總是會造成阻礙,會利用朋友來服務自己,以朋友來抬舉自己。這樣的友誼形同交易。

真正的「朋友」,往往比你的家人、親戚、鄰居、族人和國家,都和你更親近。

哈茲若・音那雅・康是這麼形容朋友:

> 朋友的祕密,應該當作自己的祕密來保守;朋友的過錯,要當作自己的過錯來隱瞞;朋友的榮譽就是自己的榮譽;朋友的敵人應該被視為自己的敵人;朋友的朋友就是我們的朋友。
>
> 一個人不能吹噓友誼,而必須以行動去實踐友誼。會吹噓友誼的人,常常是虛假的。
>
> 朋友絕望時,必須給予安慰;朋友貧困時,伸出援手;對朋友的缺點,忽略是必要的;朋友有難時,義不容辭地支持;朋友若歡喜,便跟著一起開心。
>
> 在這個充斥著幻象的世界裡,當我們來到生命的終點,審視一切的時

候，我們會發現，一切都不那麼重要，也沒什麼價值。但是，如果有那麼一點你可以依賴的東西，是真實的，甚至讓你認可為「永恆」的跡象，那就是堅貞的友誼。……最終，不是對神的信仰引導我們抵達目標，也不是對神的分析和知識將我們帶到那裡，而是神的友誼。

因此，學習當一個真正的朋友，是最重要的靈性課。因為，當你在這個世上學會了「友誼」這一課，它最後會發展為「與神的友誼」。

這是蘇非哲學中，最動人的一門必修課。

JUNE

6/1

> Man's bodily appetites take him away from his heart's desires; his heart's desires keep him away from the abode of his soul.
>
> 一個人身體的慾望使他遠離心的渴望;而心的渴望則讓他遠離靈魂的居所。

人是物質與精神的獨特組合。我們的精神——靈魂,透過身體,生活在地球上。身體像是承載靈魂的交通工具,讓我們得在其中移動探索。然而,靈魂之光,每時每刻都正如電流通過我們的身體。只要我們願意,隨時可以停下來覺察它。

可惜,終其一生,我們多半的時間,都在忙著滿足身體的需求,同時,自我產生的念頭接踵而來,吸引我們的注意。我們鮮少有時間注意到沉默的靈魂,它的存在,所為何來。

在物質層面,我們有身體的渴求要滿足,餓了要吃飯,渴了要喝水;在心理層面,也有心的渴求要達成,想要成功、被愛、冒險……。於是,我們活在柏拉圖所說的,陰影的世界裡,卻誤以為這是真實的。就如佛陀所察覺,我們活在妄念所造的幻象之中。

連結靈魂,會幫助我們反思處境,不被瑣碎的事情綑綁。

雖然靈魂藉由身體和心,體驗人世所有的感受,然而,靈魂真正的本質是神性。因此,無論是在有意識或是無意識的狀態,不管是處於衝突之中或是大自

然裡，總有那麼一刻，你升起難以言喻的「鄉愁」，因為靈魂它想要「回家」；回到它永恆的存在，和平與喜悅的居所。

如果我們能夠停下繁忙的思緒和腳步，練習讓身體和心思靜止，內在的靈魂之光，自然會出現，照亮我們當前的處境，幫助我們抓住自我的韁繩，不是要毀滅它，而是駕馭它，讓它與靈魂調頻，產生共鳴，一同前往靈魂安適的居所。

6 / 2

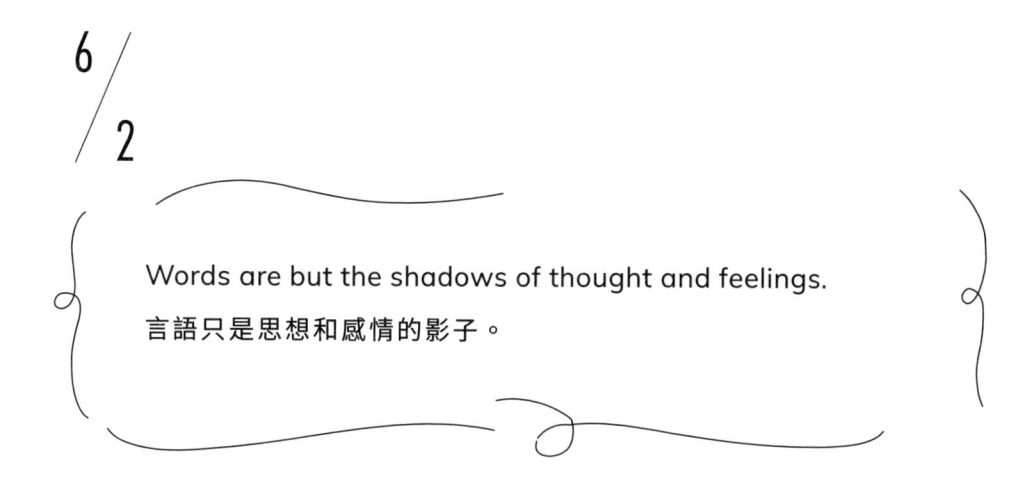

> Words are but the shadows of thought and feelings.
> 言語只是思想和感情的影子。

言語所表達的是思想和情感的產物。然而這是表象，因為如果只是用耳朵聆聽，我們無從得知真正產出的言語背後的動機。只有打開心去聆聽，我們才有辦法聽到言語背後真正的意思。

在人們把抽象的思想和情感，轉化為具象的言語時，有些東西也同時被篩檢稀釋了。言語難以全然傳遞真正的想法與感受，只能試著靠近它們。

唯有心能夠聽到言外之音。

6 / 3

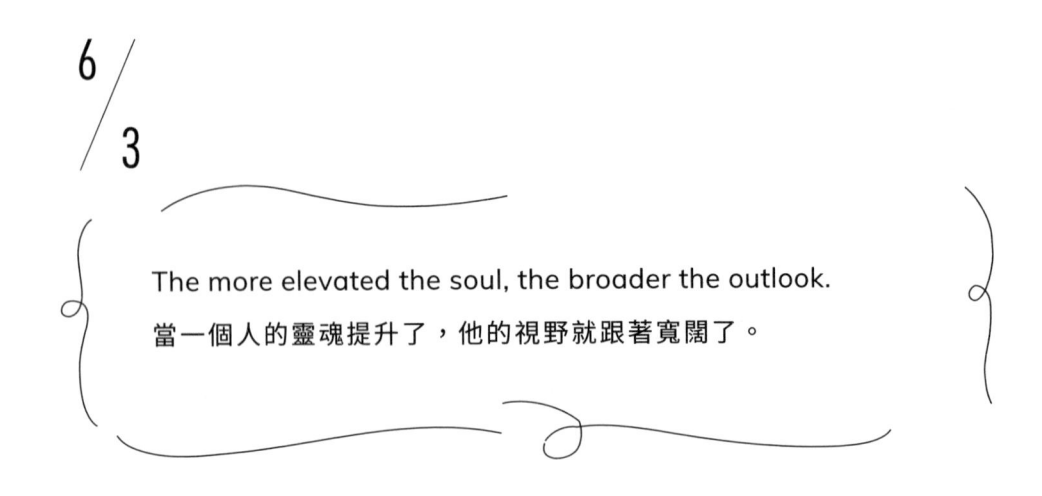

> The more elevated the soul, the broader the outlook.
> 當一個人的靈魂提升了,他的視野就跟著寬闊了。

所謂「提升靈魂」,就如同登山,當我們爬上山頂,我們所見到風景的廣度和深度,都是在山底下所無法想見的。

因此,靈性的道路,就是為了擴展心的廣度和深度,從而改變我們對於世界觀看的角度,好讓心有器量去接納真理。

6/4

> The secret of a friend should be kept as one's own secret; the fault of a friend one should hide as one's own fault.
>
> 朋友的祕密，應該要被當成自己的祕密去守護；朋友的缺陷，也應該被當成自己的缺陷去隱藏。

你和朋友之間的情誼，必須要被慎重對待，因為那是靈魂和靈魂之間的事。如果你明白溫柔的連結，它的微妙與美麗、它的神聖之處、它的奧祕，那麼你的生活將會圓滿而且覺醒。

當你學會珍惜和另一個靈魂的情誼，你便建立起一座橋梁。有一天，你將走過這座橋梁，以同樣的態度來與神交流。

6 / 5

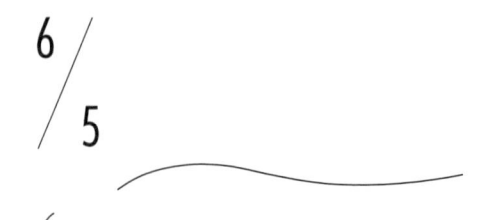

> Forbearance, patience, and tolerance are the only conditions which keep two individual hearts united.
>
> 氣量、耐心和寬容是能夠讓兩顆心合而為一的必要條件。

氣量涉及以優雅的態度忍受困難、接受挑戰。耐心是指在面對困難或延遲時保持冷靜和沉著的能力。寬容則是認識並且尊重他人的差異，不讓這些差異造成兩個人的裂痕。而這三個屬性，只有愛才能夠培養出來，無法使用道德來規範一個人必須表現出這些美德。

當我們真正愛一個人，我們自然對他有耐心，可以再等他一會兒，包容他的延遲；可以溫柔地說話，即便觀念有所衝突也不刺傷他；他若犯錯，便再給他一次機會；允許他和我們有不同的選擇和喜好。因為愛上一個人，讓我們的心柔軟地敞開，知道怎麼做，才能夠更接近所愛之人，讓他開心，讓兩人的關係更和諧，更親密。

自我的傾向則是不耐煩、批判、難以容忍異己，這些恰好都是會讓兩顆心分離、淡漠、疏遠的習性。

於是，當我們愛上一個人，自然會開始克制自我的這些傾向，朝著相反的方向努力。

愛人總是把自己的心調頻到所愛的人，渴望與他合而為一。

6/6

> We blame others for our sorrows and misfortunes, not perceiving that we ourselves are the creators of our world.
>
> 我們將自己的悲傷和不幸歸咎於他人，卻沒有意識到是我們創造出自己的世界。

我們的思想、態度和應對，創造出我們自己正在經歷的世界。外在的境遇，只不過是我們內在狀態的投射。一般人遇到悲傷或是不如意的事，總是先責怪他人或是外在因素。這樣做，會導致把自己的力量不斷交給別人或給外在條件。只有反求諸己的人，才有機會看見自己在這些不幸當中所扮演的角色，所做出的貢獻，也才能賦予自己力量，改變自己正在創造的世界。

然而一般人並不明白這個道理，於是，總是透過狹隘的是非對錯來看事情。事實上，當我們責怪他人造成自己的處境時，我們正在逃避自己的責任，也因此無法改變自己的行為或思想，為自己創造出一個更和諧美好的世界。

雖然外表上，每個人看似是一個獨立的個體，然而，我們內心的世界非常龐大。我們的心可以容納整個宇宙，天空為限，地球和天堂都在其中。它四通八達，甚至可以影響人類的集體意識。所有善或惡、健康或疾厄的種子都存放在心裡。我們選擇讓什麼發芽，就會長出什麼。

透過覺察在塑造自己的經歷當中，我們所扮演的角色，我們就會更有力量，並且負起責任，改寫自己的故事。

6/7

> Nobody appears inferior to us when our heart is kindled with kindness, and our eyes are open to the vision of God.
>
> 當我們的心被仁慈點燃,而且我們能夠透過神的角度去觀看,就不再會認為任何人不如我們或是比我們差。

有一次,穆罕默德聽見他的孫子直呼一個僕人的名字。他立刻就對他孫子說:「不對,孩子,這不該是你稱呼比你年長者的方式。你應該喊他:『叔叔或伯伯。』他是否為我們服務並不重要,我們都是彼此的僕人,在神的眼中我們都是平等的。」

我們每個人都是主人,也是奴僕。在世間的一切存在,是相互依存的;我們在某些時候接受幫助,也在某些時刻幫助別人。因此,哈茲若‧音那雅‧康說:「我們都是平等的,如果在生活中有幫助我們的人,我們應該對這種特權感到謙卑和感激,而不是讓服務你的人的地位卑微。……沒有比傷害那些為我們服務,或是依賴我們幫助的人的感情,更大的罪行了。」

陽光普照大地的時候,不分軒輊,一視同仁。它沒有給山多一點光,給海少一點光。從神的視角看出去,世間一切都在光裡。每個人都是平等的,無論他們的職位是什麼,出身是如何。

6/8

> Selfishness keeps man blind through life.
> 自私使人終生盲目。

耶穌基督教導人們要仁慈，佛陀教導人們要慷慨行善，然而，世俗的常識（common sense）則是：當人家對你好，你才對人家好。如果人家對你不好，你就「以牙還牙，以眼還眼」。似乎，宗教的主張違反了世俗的常規？

其實不是。基督和佛陀的教導都是奠基於「超感知」（super sense），其邏輯已經超越常規。教導人們利用精神的力量，更爲主動地「塑造境遇」。

因此，如果你想要愛，就先給出愛；想要仁慈，就先給予仁慈；想要幸福，就考慮如何讓身邊的人幸福；想要被好好對待，先好好對待他人。愛、仁慈、和諧、幸福，這些發自內心的想法與行動，非常珍貴，是無價的美德。當你想著、做著這些事情的時候，卻不求回報，你所獲得的快樂和滿足就是你最好的回報。當你無私地散播愛、仁慈、和諧、幸福，你的能量場自動校準這些美好的頻率，你便正在塑造你的境遇。

所以，看起來似乎不合乎常識的行爲，其實從精神的角度來看，是最合乎邏輯的選擇。

6/9

> The final victory in the battle of life for every soul is when he has risen above the things which once he most valued.
>
> 每個靈魂和生命的戰鬥,最終的勝利來自他超越了他過去最看重的事物。

你愈是看重某個事物,害怕失去它們,表示你與它們之間的羈絆愈深。每個東西的價值都是因人而異,你認為對你不可或缺的東西,你所執著的事物,對你個人就是有價值的。而且,事物的價值也會隨著個人的成長而變動。

是你對於這個事物的理解和依戀,賦予了它價值。

在生命中,有時候你義無反顧地追求愛情;有時候你處心積慮地想獲得成功;有時候財富是你最渴求的目標……。可是,一旦你對這個事物有了更深的了解,你有天會發現,它對你失去了吸引力。於是,你可以放下。

這個「放下」不是由於靈性的教誨,告訴你物質世界的一切追求,都是幻象。而是你的內在已經準備好要超越自己,讓轉變發生,邁向下一個階段。

6 / 10

> When power leads and wisdom follows, the face of wisdom is veiled and she stumbles; but when wisdom leads and power follows, they arrive safely at their destination.
>
> 當力量主導而智慧尾隨在後，智慧的面孔因為被遮蔽而絆倒。然而，當智慧主導，力量跟隨時，他們就會一起安全抵達目的地。

不論一個人所擁有的是財富、權勢或甚至通靈能力，如果沒有智慧來引領他審慎運用這些力量，那麼，這些力量可能會反噬自己或傷害他人。自我很容易被力量蠱惑，追求權力的野心，會支配一個人的判斷，令一個人做出短視近利的決定。在此情況下，智慧會被掩蓋，發揮不了作用。

相反地，如果一個人先培養心的智慧，讓心當將軍，統帥頭腦的慾望。使用內在的精神原則和深刻理解，來幫助一個人做出決策和行動，如此一來，力量便能夠輔佐智慧，一起踏上旅程，安然抵達目的地。

6/11

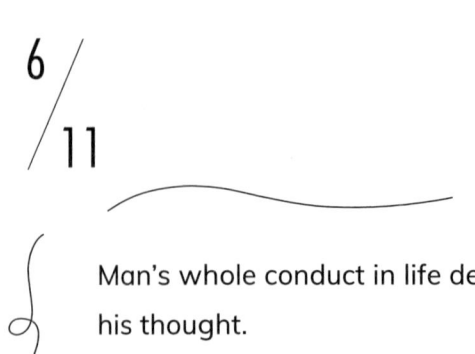

> Man's whole conduct in life depends upon what he holds in his thought.
>
> 一個人一生全部的行為都取決於他的思想。

蘇非認為心如明鏡。在心中映照出來的事物，有兩個意涵，首先，它讓你看見此刻心思的反射，其次，它告示你正在創造的東西，你所會吸引的事物。

當一顆心映照的是傷口，那麼，你會在生命處境中到處見到傷口；當一顆心映照出玫瑰，你會處處見到玫瑰。這就是心的反射現象。因此，我們正在創造的一切，都是所思所想的結果。如果一個人認為自己就是受害者，他會到處看到別人在傷害自己，世界對他很不友善，因為他會繼續創造出自己受害的情景。如果一個人對凡事充滿感激，覺得自己蒙受祝福，那麼，他會到處感受到祝福和幫助，世界對他總是善意的回應。

如果我們缺乏自制力，無法控制自己的想法，也不了解這些想法對自己所造成的影響，我們可能會經常把別人對我們的一丁點不好，放在心中，這樣，就會繼續創造出這樣的情境，讓我們受苦。或者我們總覺得自己會生病，身體虛弱，這個想法也會持續創造出這樣的結果，導致身體更加體弱多病。

如果，你心中經常想著佛陀或基督，而且認同他們所代表的理想，你自然會影響自己的行為，讓自己更接近你內心所渴求的理想。

6/12

> He who can be detached enough to keep his eyes open to all those whom circumstances have placed about him, and see in what way he can be of help to them, he it is who becomes rich; he inherits the kingdom of God.
>
> 如果一個人具有足夠的超然，留意出現在眼前的一切處境，而且看見自己能夠如何幫助這些情況，那麼這個人是真正富有的人，因為他繼承了神的國度。

這裡所謂的超然，具有非常深刻的含義。這是當一個人已經發展了他對於世間諸多事物的興趣，有一天，他停下來，發現曾經追求的東西，都不再令他感興趣，一切事物的價值都不再綑縛他。他覺察到他曾尋求的一切，那些美、力量與智慧，都在自己的內在。這時候，他才能說他具有「足夠的超然」，使他觀察周遭發生的事，卻不攜帶自我的偏見。因此，這個超然並非冷漠，這個超然當中有慈悲，讓一個人能夠看清情況，感知自己可以貢獻服務的地方。

而且當他服務他人的時候，他並不期待獲得回報。他自身圓滿俱足，不再渴求世間的東西錦上添花，不再依賴他人的感激或肯定來獲得滿足。

當一個人脫離執著，保持覺知，展現同情心，而且慷慨地奉獻服務，他便實現了內在的神性。他體會到與神合一的真實含義，而神的國度中所有的資源，都為他敞開。

6/13

> True justice cannot be perceived until the veil of selfishness has been removed from the eyes.
>
> 只有當自私的面紗從眼中移除，才能夠看見正義。

在我們與正義之間，有一堵厚重的牆叫做「自我」。只要自我還在控制我們，挑撥我們，正義終究會被妥協。自我會選擇對自己有利的「正義」，會詮釋自己的法則，而且會改造法則以圖利自己。自我會優先照顧自己的需求，即便只是一點點這樣的傾向，已經足以障礙我們看見真正的公平正義。

正義和自私無法並存。《聖經》裡有一個這樣故事：有一群人把一個犯了通姦罪的女人帶到耶穌面前，他們義正辭嚴地說，這個女人在犯罪的時候被抓個正著，一般如果犯了這樣的罪，她會被石頭砸死。耶穌聽了說：「你們當中沒有犯過任何罪的人，可以對她丟第一個石頭。」這些控告者和聚集的群眾聽了之後，就散去了。沒有任何人再敢對她丟石頭。耶穌對這個女人說：「既然沒有人再能譴責你，你的罪已經被赦免了。你走吧！」

耶穌所主持的正義，兼具慈悲與智慧，超越世俗的法則。

6/14

> Our thoughts have prepared for us the happiness or unhappiness we experience.
>
> 我們的思想已經為我們的幸福或不幸做好了準備。

「現在是過去的反射,而未來是現在的回音。」哈茲若‧音那雅‧康說:「命運並非是已經註定的;命運是我們正在創造的。」

然而,很多宿命論者喜歡說:「一切都是命定。」好像我們的生命是掌握在命運的手中,命運可以將我們驅使到生活中的任何方向,我們卻毫無置喙的餘地;但事實上,我們是命運的主人,尤其是從我們開始意識到這一事實的那一刻起。

對自己的成功或失敗、崛起或衰落,我們其實都負有責任。就算遭逢意外變故,我們的回應方式,也正在塑造未來。一個人可以採取悲觀消極的態度去面對變故,讓情況更加惡化,也可以採取樂觀積極的態度去扭轉局面,開創出新局。

如果發現自己反覆陷入某個行為模式或某種負面關係,首先回來審思自己內在創造出這個情況的根源,會更有效地改變處境。

6 / 15

> Love is the best means of making the heart capable of reflecting the soul-power; and love in the sense of pain rather than of pleasure. Every blow opens a door whence the soul-power comes forth.
>
> 愛是能夠讓心反映出靈魂的力量最好的方法；特別是在愛中所經歷的痛苦，而非快樂。換句話說，每次因為愛而承受的打擊，都會在心中打開一扇門，讓靈魂的力量能夠湧現。

在蘇非的教導中，非常強調愛與痛苦所帶來的轉化力量。為什麼必須要經歷痛苦，而不是快樂，才能夠打開心門呢？

因為快樂會令人繼續沉迷於當前愉悅的選項，並且為了逃避痛苦，自我會忽視內在的真實感受。相反地，痛苦的打擊，則會帶來淨化的力量，它會幫助一個人驟然醒覺，迫使他斷開幻象、斬斷自我的執著。同時，為了要接納痛苦，他不得不運用心的力量，以便整合這個經驗，他也必須臣服於內在更深的指引，這些都促進靈魂的智慧湧現。因此，蘇非認為，每個痛苦的打擊，都是讓一個人的心打開，帶來轉化的契機。

雖然說，所有的痛苦經驗，無論是身體或心理的，都會帶來某種震撼，暫時中止某些習性和執念，然而，由於愛所帶來的痛苦和折磨，最直接針對心產生作用。當一個人為愛而心碎，所有遮蔽著心的外殼因此被揭開，讓心恢復它的柔軟和純淨，靈魂之光藉此得以穿透心，而發射出光芒。

6/16

> Every experience on the physical, astral, or mental plane is just a dream before the soul.
>
> 我們在身體、星體或思維體所產生的每個經驗,在靈魂面前僅是一場夢。

一行禪師曾說:「我們是沒有誕生,沒有死亡,沒有開始,亦沒有結束。」

他所形容的其實就是我們靈魂的本質。

「靈魂本身不外乎是無所不在的意識。」哈茲若・音那雅・康說,但當這種意識被侷限在一個身體,被這個三度空間的稠密元素所包圍,在這種被俘虜的狀態下,祂被稱為「靈魂」。

我們是一個靈性的存在,來世上體驗身為人的生活。我們就如同一位在舞台上的演員,雖然賣力扮演著各種角色,但我們不是我們的角色,也不是我們演出的故事。

終其一生,靈魂一直在尋求解放自己的方法,因為自由是祂的天性。隨著個體意識的提升和靈性發展,靈魂的力量得以逐漸展開,發揮作用,最終突破各種束縛和羈絆。這個解放並不需要藉由放棄個體,而是讓個體與靈魂同心協力,目標一致,重寫自由的定義,認真做夢,一起飛翔。

6 / 17

> The fire of devotion purifies the heart of the devotee, and leads to spiritual freedom.
>
> 奉獻之火淨化奉獻者的心,並且帶給他靈性的自由。

當一個人全心全意地奉獻,奉獻成了他所專注的事,就如同進入心流當中,小我不見了,雜音不見了,他的心與他理想中的對象同在,這就是奉獻所帶來的美妙淨化。他不再尋覓,他不再猶豫,他就如同忠實的愛人,心思堅定單純。這會帶給他莫大的靈性自由,因為他斷開了所有的誘惑。

或許從旁人的眼光來看,奉獻者的犧牲是難以理解的,而且他所選擇的道路看似非常狹窄。然而,這是因為旁人不了解奉獻的奧祕。當你找到願意奉獻的對象,奉獻會照亮你前面的道路。

奉獻的心情,會讓一個人的性格變得甜美。無論他所奉獻的對象是音樂、園藝、繪畫、詩歌或是神,因為他捨棄了自我,向理想的對象臣服,他所獲得的合一的體驗,會帶給他心靈的圓滿與喜悅。

在《薄伽梵歌》中,印度的神聖導師克里希納說:「我是我奉獻者的心。」意思是,「我就活在我奉獻者的心中。」由此可見,是奉獻者讓他所投注的對象,在他的心中重現生命。

6/18

> When love's fire produces its flame, it illuminates like a torch the devotee's path in life, and all darkness vanishes.
>
> 當愛之火製造出火焰，它會如火炬一般照亮奉獻者的人生道路，而且所有的黑暗將蕩然無存。

蘇非的神祕主義，認為通往神／唯一存在的道路，是「愛的道路」。當一個人找到他願意侍奉的對象，並為他理想中的神（理想的典範）奉獻自己，他便踏上了這個神聖的旅程。

他因為愛著神，而謙卑臣服，臣服淨化了他的心，削弱了自我的干擾，使得他更容易接收到神聖的指引。他因此獲得清晰的洞見，同時，對於自己的思想、言語、行為都帶著覺知。這個指引，有如火炬，會照亮他的道路，驅散所有懷疑和困惑的烏雲。

這是源自愛的奉獻，自然會產生的結果。

如果宗教，對於神的祭拜，是源自恐懼、敬畏。譬如：如果不去拜拜，可能會遭譴責；不添豐厚的香火，就不會被幫助……。這樣的敬拜，無論做多少次，都不會淨化自己的心，也不會促進自己接收神聖的指引。因為心難以在恐懼之中打開，反而是關閉。於是內在的指引，難以浮現。這樣的奉獻，帶著苦澀的滋味。

6 / 19

> It is mistrust that misleads; sincerity always leads straight to the goal.
>
> 不信任會誤導我們。真誠總是會引領我們直達目標。

關於信任，蘇非哲學有著獨到的看法。

要信任每個人嗎？如果失敗了怎麼辦？萬一日後證明那個人是不值得信賴的，怎麼辦？哈茲若・音那雅・康認為信任和自信是同一回事：「只有當我們信任自己時，我們才會信任他人，當我們對自己有信心時，我們才會對他人有信心。」

因此，一個對自己沒有信心的人，也無法對他人有信心。就算我們因為信任而失敗或誤判一兩次，也不要就此帶著不信任過日子。如果我們害怕在生活中因為信任錯的人而「感到失望」，而為了避免「這一次的失望」，抱著懷疑的態度過一生。這會損傷我們的真誠，導致自己也無法再信任自己。因為，這個態度令一個人失去的是自信，是對生命的信任。而這是被不信任誤導的嚴重後果。

你或許會問，當今詐騙的事蹟層出不窮，不都是因為誤判、聽信花言巧語、信錯人所造成的？如果我們仔細觀察，會發現詐騙事件，都是經過精心設計的圈套，特別針對想要以快速的方法「致富」或更有錢的人，而這些人大多不太自信，於是反而容易被操弄。這些人或許外表精明幹練，卻內心空虛，渴望更多的財富和被重視，才會一步步踏入陷阱。

而一個真正信任自己的人，不容易對這種引誘上鉤，他會更有分辨力，因為他並不依賴別人的掌聲和注視來滿足自我。

6 / 20

> Love lies in service; only that which is done, not for fame or name, not for the appreciation or thanks of those for whom it is done, is love's service.
>
> 愛體現在服務中。只有那些不是為了沽名釣譽,也不是為得到所服務對象的讚賞或感謝而做的事,才是愛的服務。

愛人會竭盡所能地幫助並服務所愛的人。他想要關心她,拯救她於危險,他會犧牲自己的時間和精力去為她做事,但是他不會張揚,或希望獲得回報。然而,如果所愛的人為他做了一點小事,他會誇大其詞,美化它,把它說成是天大的事。

對於愛人而言,能夠為所愛的人服務,令他滿懷感激,這個態度為他帶來美好的一切,心中滿溢溫柔和甜蜜。因為,透過服務,他的愛得以更真實地存在。

6/21

> The soul is all light. Darkness is caused by the deadness of the heart; pain makes it alive.
>
> 靈魂全然是光。黑暗是來自心中死去或麻木的部分。然而,痛苦會讓這部分恢復活力。

許多人因為害怕愛所帶來的痛苦,而不敢去愛。不敢去愛的心漸漸變得麻木或死去,最後,連自己的活力也萎縮殆盡,心如死灰槁木。

敢於去愛的人,雖然可能經驗到伴隨著愛而來的失落或錐心之痛,卻也刻骨銘心地真實活著。這樣的心是強壯的,可以歷經風浪的考驗,並且擴展與收縮,它必然充滿活力。

6 / 22

> The quality of forgiveness that burns up all things except beauty is the quality of love.
>
> 寬恕的特質便是把一切都燃燒殆盡，只留下美，而這也是愛的質地。

以牙還牙，以眼還眼，就是以邪惡對抗邪惡，這個策略讓我們不由自主地陷入與對方一樣的境地，陷落和對方等同的低處。

如果我們使用批評、抨擊或是輕蔑的態度，想要改變一個人的惡劣或愚蠢，這其實對於這個人不會有太大的幫助。反而，如果是以寬恕、容忍、忽視他的缺失，那麼，你就有機會幫助他斷開舊有的劣根性，重獲自由。

寬恕不是來自於道德的概念，而是從心輻射而出的情感，改變了行為：不再計較，不再怨恨。這讓自己和對方的心，都獲得解放，不再相互捆縛。哈茲若・音那雅・康以一個穆罕默德的故事解釋寬容：

> 有個人來見穆罕默德。這個人平時總是惡意中傷穆罕默德，而且他的行為就像是個充滿怨恨、背叛他的敵人。學徒們以為這下終於可以報仇雪恨，然而，穆罕默德令他們大失所望。穆罕默德對這個卑鄙的敵人，以禮相待，甚至同意他的請求。
>
> 學生們事後問他，為什麼這麼做？穆罕默德說：「你們沒有看見他灰白的鬍子嗎？他是個老者，理應被敬重。」

他以德報怨，超越了他的敵人的境界。寬容的力量，可以淨化一切災厄，消融紛爭與嫉恨。所有的醜陋在寬容面前都被焚燒殆盡，轉化為美。

Bowl of Saki

6 / 23

> Each individual composes the music of his own life; if he injures another he breaks the harmony, and there is discord in the melody of his life.
>
> 每個人都譜寫了自己生命的音樂。如果一個人傷害了另一個人，他就破壞了和諧，而且他生命的音樂就會出現不和諧的曲調。

生命，如同音樂。如果能夠以音樂來研究生命，我們或許更能夠了解生命運作的真相。當一個人過得悲慘、憂傷或不幸，他的生命音樂必然是走調了。

爲了明白自己的處境，首先我們可以覺察，從哪裡開始，我們破壞了生命的和諧？從哪裡開始，我們生命的音樂發出刺耳的聲音？我們是否說了或做了什麼，令別人難受，導致自己和別人的音樂荒腔走板？

事實上，我們與自己的和諧，以及我們與他人的和諧，共同譜出我們的生命音樂。

6/24

> He who with sincerity seeks his real purpose in life, is himself sought by that purpose.
>
> 那些誠懇追尋生命真正的目的之人,生命的目的也會追尋他。

究竟要如何才能知道什麼是生命的目的?是透過頭腦的思考嗎?是透過吸引我們的東西嗎?還是透過我們的傾向?

無論如何,生命的目的更像是一種靈魂的召喚。就像是抬頭看著遼闊的星空,感受到冥冥之中有個奧祕的東西正在等待你,而它將帶來無與倫比的滿足。就算你此刻不知道那是什麼,但是你隱約知道它的存在;它透過各種方式在吸引你的注意。

我們不能替別人決定他/她的生命目的。每個人的誕生都是帶著靈魂的召喚而來,這個是每個人被創造的目的。你的目的,不適用於他人或你的孩子。

只要你願意從沉睡中醒來,保持覺醒的狀態,你就會注意到那個持續不斷的召喚,正在透過生命的波流和振動,尋找你。

6 / 25

> Through motion and change, life becomes intelligible; we live a life of change, but it is constancy we seek. It is this innate desire of the soul that leads man to God.
>
> 藉由移動和變化，生活的樣貌變得清晰。雖然生活在不斷的變動中，然而我們所追尋的是堅貞不移，是可以仰賴的東西。正是這個靈魂內在的渴望，引領人來到神／唯一存在面前。

生命物換星移，不曾停止變動。凡是誕生的，有朝一日就會死亡；所有曾創建的王朝，都會走向毀滅。這是無法避免的事。

然而，人的內在對於永恆不變的嚮往和追尋，不曾停止過。只是，大多數人是向外追尋，因此有了對神的敬拜和交託；其實人的心中，本來就存在永恆的神性之光，只要往內追尋，就會發現。

我們需要發展的不是外在的信仰，而是內在的信仰。只有當一個人積累了內在的信仰，我們才能在變動中，依然感受深刻的平靜。在堅定不移與不斷變化之間，取得平衡。只不過，有時候人們必須經由外在的神，來發展出這個信仰，才能通往內在的神性。

6 / 26

> Every being has a definite vocation and his vocation is the light that illumines his life. The man who disregards his vocation is as a lamp unlit.
>
> 每個人都有一個畢生的工作，這個工作就是找到可以照亮他生命之光。如果一個人不理會這個工作，那他就如同一盞不被點燃的油燈。

當一個人不知道自己在這世界上想要什麼，她會從一個目標移動到另一個目標，甚至毫無目的地遊蕩，浪擲光陰也無所謂。如果在生命的終點，依然無法點燃自己的熱情，那就有如無法被點燃的油燈，一切徒然。那麼，這個人會被失敗與憂傷籠罩。

當一個人追尋生命的目的，甚至幸運地找到自己熱情的事，這個人便能夠充分在這世上安身立命。而所有想要被他成就的事物，都會找上他。

Bowl of Saki

6 / 27

> The heart sleeps until it is awakened to life by a blow; it is as a rock, and the hidden fire flashes out when struck by another rock.
>
> 心沉睡著，直到它被一擊喚醒。在這之前，它猶如一塊石頭，只有在被另一塊石頭擊中時，隱藏在它裡面的火才會飛濺而出。

生命突如其來的打擊，會把我們的心撕裂，然而也往往因此帶來覺醒；我們的感受更深刻、沉痛，也因此更能夠同理別人的感受或境遇。被重擊而碎裂的心，光芒穿透傷口，四射而出，化痛苦為祝福。

我們的成長有時候是緩慢進行的，有時候則是生命劇烈的雷劈，當頭棒喝，令你無法繼續沉睡裝睡！

6 / 28

> The awakened heart says, 'I must give, I must not demand.' Thus it enters a gate that leads to a constant happiness.
>
> 覺醒的心說：「我必須給予，我不能索取。」就這樣，它進入了通往永恆幸福的大門。

一個不快樂的人，很難讓別人快樂。快樂自己用都不夠了，哪裡還能分給別人？

一顆覺醒的心輕易便能感到幸福，他的快樂如此充沛，就像是一位富豪，有源源不絕的庫存，他能夠把快樂慷慨分送給別人，自己也還是綽綽有餘。而且他愈是給予，愈是幸福；愈是給予，愈是豐盛。

Bowl of Saki

6 / 29

> The worlds are held together by the heat of the sun; each of us are atoms held in position by that eternal Sun we call God. Within us is the same central power we call the light, or the love of God; by it we hold together the human beings within our sphere, or, lacking it, we let them fall.
>
> 是太陽的熱能將這個世界凝聚在一起。我們每個人就如一顆顆原子，被我們稱為神的永恆太陽繫在各自的位置上。我們每個人之中有著同樣的中心力量，被我們稱之為光或是神的愛。透過它，我們將人聚集在我們的磁場，如果沒有它，這些人會四散而去。

愛的特質是溫暖與光，同時也帶來熱能，因此，我們可以說，陽光普照萬物是無私的愛，帶給眾生熱能和生命力。同樣的法則也在我們身上進行著，我們的每個細胞也是藉由愛的熱能凝聚在一起，卻又各司其職，是對生命的渴求讓細胞在各自的位子發光發熱。我們如果散發出愛，就如同小太陽，吸引周遭的人聚集在你的磁場。

一個人的心有多寬大，他同情心的範圍也就有多寬大，而他所影響的範圍也隨著同情心而擴展。是一個人的同情心所散發的磁力將周遭的人聚集過來。當他的同情心減弱或消退，他的影響力也就破損，原本吸引過來的人便會離開。

6/30

> When a man dives within, he finds that his real self is above the perpetual motion of the universe.
>
> 當一個人潛入內心，他會發現他的真我是凌駕於不斷變動的宇宙之上。

人的存在具備兩個部分。一個部分是處於不斷變動之中，就如這個宇宙，這個部分是受限的凡人，會死亡而消隕；然而，人的另一個部分是永恆的屬性，過去如此，現在如此，將來依然會延續下去，這部分是神性的、無限的存在。

所以當我們潛入內心，我們可以發現這個永恆的部分就在其中，這是我們稱爲靈魂的本質。我們的靈魂是全然自由的，不受限於這個三度空間、時間或身體。祂可以超越人們所到達的任何地方，可以潛入人類所不曾碰觸的深境，可以揚升至人類所不曾企及的高度。

靈魂是神聖的存在，當祂顯現爲一個個不同的人，經歷一個個不同的境遇，祂所追尋的是在這個過程中，一次次重新找回自己。

Bowl of Saki

看世界的方法 275

別忘了飛
為心裝上翅膀的366天

文字	王曙芳
影像	魏瑛娟
美術設計	吳佳璘
責任編輯	林煜幃
編輯協力	蔡旻潔
發行人兼社長	許悔之
總編輯	林煜幃
設計總監	吳佳璘
企劃主編	蔡旻潔
行政主任	陳芃妤
編輯	羅凱瀚
藝術總監	黃寶萍
策略顧問	黃惠美・郭旭原・郭思敏・郭孟君・劉冠吟
顧問	施昇輝・宇文正・林志隆・張佳雯
法律顧問	國際通商法律事務所／邵瓊慧律師
製版印刷	鴻霖印刷傳媒股份有限公司
出版	有鹿文化事業有限公司
地址	台北市大安區信義路三段106號10樓之4
電話	02-2700-8388
傳真	02-2700-8178
網址	www.uniqueroute.com
電子信箱	service@uniqueroute.com
總經銷	紅螞蟻圖書有限公司
地址	台北市內湖區舊宗路二段121巷19號
電話	02-2795-3656
傳真	02-2795-4100
網址	www.e-redant.com

初版第一次印行：2024年12月
ISBN：978-626-7603-10-9
定價：350元（上下冊合售700元）
版權所有・翻印必究

國家圖書館出版品預行編目(CIP)資料

別忘了飛：為心裝上翅膀的366天 /
王曙芳著. 一初版. 一臺北市：
有鹿文化, 2024.12 224面；17x23公分
—(看世界的方法；275-276)
ISBN 978-626-7603-10-9(上冊：平裝)
ISBN 978-626-7603-11-6(下冊：平裝)
1. 心靈療法 2. 靈修
418.98 113018255

讀者線上回函

更多有鹿文化訊息